논·술·세·계·대·표·문·학

7

아Q정전

루쉰 | 윤남영 엮음

광인 일기 · 공을기 · 약 · 내일 · 일건소사 · 풍파 · 두발의 고사
고향 · 단오절 · 백광 · 토끼와 고양이 · 집오리의 희극

H훈민출판사

부인, 아들과 함께한 루쉰

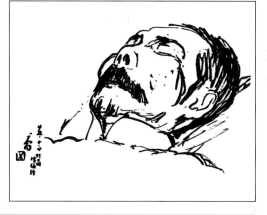

루쉰이 죽은 모습을 스케치한 것 - 1936년 10월 19세상을 떠났다.

The Best World Literature

루쉰의 모습

루쉰의 자필 원고

중국 상하이 시청의 야경 – 상하이는 중국 현대화를 대표하는 도시이다.

중국 상하이의 뒷길

베이징의 천안문 광장과 중국 사람들의 모습

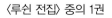

〈루쉰 전집〉 중의 1권

중국 해남도의 사람들

베이징 역의 전경

The Best World Literature

베이징의 자금성을 찾은 관광객들

중국 상하이의 동방명주탑 – 상하이의 상징이
국 현대화의 상징이다.

구인환(丘仁煥)

서울대학교 사범대학 졸업. 동 대학원 졸업(문학박사)
서울대학교 명예교수, 소설가(현). 서울대학교 사범대학 국어교육연구소 소장(현)
문학과문학교육연구소 소장(현). 국제펜 한국본부 부회장(현)
한국소설문학상(1987). 예술문화대상(1994). 한국문학상(2000)
작품 〈숨쉬는 영정〉, 〈살아 있는 날들〉, 〈일어서는 산〉 외 다수

• **저서** 《한국단편소설의 이해》, 《한국현대소설의 비평적 성찰》,
　　　《고교생이 알아야 할 소설》, 《고교생이 알아야 할 세계단편소설》 외 다수

윤병로(尹柄魯)

성균관대학교 국어국문학과 졸업. 동 대학원 졸업(문학박사)
성균관대학교 교수, 문학평론가(현). 한국현대소설학회장(현)
한국문예학술저작권협회 이사(현). 한국간행물윤리위원회 위원(현)
한국펜 문학상(1987). 한국문학상(1988). 대한민국문학상(1989)
수필집 《나의 작은 애인들》 외 다수

• **저서** 《현대 작가론》, 《한국 현대 소설의 탐구》,
　　　《한국 근대 작가 작품 연구》, 《한국 현대 작가의 문제작 평설》 외 다수

홍성암(洪性岩)

고려대학교 국어국문학과 졸업. 한양대학교 대학원 국어국문학과 졸업(문학박사)
동덕여자대학교 교수, 소설가(현). 한국문인협회 회원(현)
한국소설가협회 이사(현). 국제펜 한국본부 소설분과 이사(현). 한민족 문화학회 회장(현)
창작집 《큰 물로 가는 큰 고기》, 《어떤 귀향》 외
대하역사소설 《남한산성》 (전9권) 외 다수

• **저서** 《문학의 이해》, 《현대 작가론》, 《한국 근대 역사소설 연구》 외 다수

기
획
•
감
수

중국 이족의 처녀

논술 *세계대표문학*을 펴내며

21세기의 사회는 '전자 문명 시대'라 일컬어질 만큼 오늘날 전자 산업은 우리 생활의 거의 모든 분야에 다양하게 응용되고 있습니다. 출판 분야 또한 예외는 아니어서, 종래의 서책(Book) 대신에 이른바 '전자책(CD-ROM)'의 출간이 최근 들어 날로 증가하고 있습니다.

그러나 이러한 전자책은 영상 또는 모니터상으로 흥미 위주나 백과사전식 지식을 습득하는 데는 효과적일지 모르지만, 문학 공부를 위해서는 별로 도움이 되지 않습니다. 바꾸어 말하면, 문학 공부는 각 지면마다 살아 숨쉬는 표현 하나하나를 독자 자신의 머리로 음미하면서 작품을 읽어 나가는 가운데, 풍부한 상상력의 배양과 함께 작가의 의도와 그 작품의 내면을 깊이 있게 이해함으로써 이루어지는 것입니다.

이에 훈민출판사에서는, 자라나는 학생들이 범람하는 영상 매체에 길들여지기 전에, 어려서부터 유명한 세계문학 작품들을 책자를 통하여 감명 깊게 읽고 감상함으로써, 올바른 문학 공부의 기틀을 다지고, 아울러 전인 교육도 할 수 있도록 《논술 세계대표문학(전60권)》을 펴내게 되었습니다.

작품 선정은, 초 · 중 · 고등학교 국어 교과서와 역사 교과서에 실리거나 소개된 문학 작품을 중심으로 하되, 그리스 신화와 성경 이야기 등의 고전에서부터 중세 · 근대 · 현대에 이르기까지 세르반테스 · 셰익스피어 · 톨스토이 등 세계 유명 작가들의 장 · 단편 소설들을 엄선 · 수록하였습니다. 또 세계의 명시도 별권으로 엮었으며, 특히 각 단락마다 '논술 문제'를 제시하여, 장차 대학입시를 비롯한 각종 '논술 고사'에 예비 지식을 쌓을 수 있도록 배려하였습니다. 아무쪼록, 이 《논술 세계대표문학(전60권)》이 자라나는 학생들에게 문학 공부의 주춧돌이 되고, 나아가 미래를 살아가는 데 정신적 자양분이 되기를 진심으로 바라 마지않습니다.

훈민출판사

차례

아Q정전/ 12

광인 일기/ 78

공을기/ 95

약/ 103

내일/ 117

일건소사/ 126

풍파/ 130

두발의 고사/ 143

고향/ 150

단오절/ 164

백광/ 176

토끼와 고양이/ 185

집오리의 희극/ 192

작품 알아보기/ 197

논술 길잡이/ 199

아Q정전

광인 일기/ 공을기/ 약/ 내일 /
일건소사/ 풍파/ 두발의 고사/ 고향
단오절/ 백광/ 토끼와 고양이/ 집오리의 희극

루 쉰

지은이

1881~1936년. 중국의 저장성 사오싱 현에서 출생. 지주 계급으로 그의 할아버지가 국사 편찬에 관여하고 있었으나, 곧 집안이 몰락하고 이어 아버지도 병사했다. 1902년 국비 유학생이 되어 일본의 센다이 의학전문학교에서 의학을 공부하게 되었지만, 문학의 중요성을 절감하고 문학으로 자신의 노선을 바꿨다.

1909년에 귀국한 그는 문학혁명을 계기로, 중국 최초의 현대 소설인 〈광인 일기〉를 발표하여 세상을 놀라게 했다. 그 후 루쉰은 평이한 구어체를 구사하며, 문학의 사회적 책임을 강조하는 작품을 발표하면서 중국 문학을 대표하는 작가가 되었다. 대표작으로는 〈아Q정전〉, 〈공을기〉, 〈약〉, 〈고향〉 등이 있으며, 방대한 양의 논문, 비평, 논쟁문을 남겼다.

아Q정전

서 장

내가 아Q의 정전을 쓰려고 마음먹은 것은 이미 한두 해 전의 일이 아니다. 그러나 늘 써야겠다고 생각은 하면서도 주춤거리는 것을 보면, 아Q가 후세에 전할 만한 인물이 못 됨을 알 수 있다.

옛말에 불후의 글은 불후의 인물을 전한다고 했다. 즉, 사람은 글에 의해서 전해지고, 글은 사람에 의해서 전해진다는 뜻이다. 그러면 대체 누가 누구에 의해서 전해지는지, 참으로 애매해진다.

결국 나는 아Q의 이야기를 쓰기로 결심했는데, 어쩐지 귀신에 홀린 듯한 기분마저 든다.

그런데 이 한 편의 글을 쓰기로 작정하고 붓을 들자마자 나는 곧 갖가지의 어려움을 느끼게 되었다.

첫째로, 문장의 명목이다. 공자가 이르기를 '명분이 바르지 못하면 말이 순조롭지 못하다'고 하였으니 이것이 바로 신중을 요구하는 대목이다.

전기의 명목은 상당히 많다. 열전, 자전, 내전, 외전, 별전, 가전, 소전……. 그러나 안타깝게도 내가 쓰려고 하는 글은 이들 어느 것에도 적합하지 못하다.

'열전'이라고 하자니, 이 한 편의 글이 결코 수많은 훌륭한 인물들과 함께 정사 속에 배열될 수 있는 것이 아니고, '자전'이라고 하자니 내가 아Q 자신이 아니니 그도 곤란한 노릇이다.

'외전'이라고 한다면 필시 '내'전은 어디에 있느냐는 질문을 받을 수 있으며, 혹 '내전(한무내전은 한무제가 신선을 구한 고사를 기록한 책)'이라 한다 해도 아Q는 결코 신선은 아닌 것이다. 또 '별전'이라 이름 붙일까 해도 대총통(중화민국 당시의 국가 원수)으로부터 국사관(국립역사편찬소)에 아Q의 본전을 세우라는 명령이 내려져 있지도 않은 것이다——비록 영국의 정사에도 《박도별전》(원명은 《로드니 스톤》, 저자는 디킨스가 아니고 코난 도일. 뒤에 작가가 오기였음을 지적했다)이 없는데도 디킨스가 《박도별전》이란 책을 저술한 예가 있다지만, 그것은 디킨스가 문호였기에 가능했던 일이고 나 따위의 재주로는 어림도 없는 일이다.

다음은 '가전'인데, 나는 내가 아Q와 한 집안인지 아닌지도 모를 뿐더러, 또한 그의 자손으로부터 청탁 받은 일도 없다.

'소전'이라고 하자니 아Q에게 따로 대전이 있는 것도 아니다. 그렇다면 이 한 편의 글은 역시 '본전'이라고 해야 하겠으나, 내 문장을 놓고 볼 때 문체에 영 품위가 없어서 이런 '짐수레꾼이나 행상인의 문장(문장가 임금남이 구어문학 운동에 반대하여 한 말)'으로는 본전 근처에도 못 간다.

그래서 3교 9류(3교는 유·불·도교를 가리키며, 9류는 한서에 구분된 아홉 사상가를 가리킴) 축에도 못 끼는 소설가들이 흔히 말하는 '한담은 그만두고 정전으로 돌아가서'라는 문구 속에서 '정전'의 두 글자를 빌려 이 글의 명목으로 삼으려 한다.

비록 옛 사람이 편찬한 《서법정전》(청 풍무의 저서로, 서법에 관한 책. 여기서 '정전'은 정확한 전수라는 의미)의 '정전'과 글자가 혼동되기는 하나 거기까지 신경 쓸 수는 없는 일이다.

둘째로, 전기의 관례상 첫머리에는 대개 '아무개는 자가 무엇이고, 어느 고을 출신이다'라고 쓰는 것이 일반적이지만, 나는 아Q의 성이 무엇인지 전혀 모른다.

언젠가 한번은 그의 성이 조씨인 줄 알았으나, 그 다음 날에는 곧 모호해졌다.

그것은 조 영감의 아들이 수재에 합격했을 때의 일이다. '둥둥' 징 울리는 소리와 함께 그 소식이 마을에 전해졌을 때, 아Q는 마침 황주 두어 잔을 들이켜고 있던 참이었다. 그는 별안간 좋아서 덩실덩실 춤을 추면서 이 일은 자기에게도 영광이라고 했다. 왜냐하면 자신은 원래 조 영감과 한 집안 사람이며, 찬찬히 계보를 따져 보면 그가 조 영감의 아들보다 3대나 높은 항렬이라는 것이었다.

그 때 함께 이야기를 듣고 있던 사람들은 자기도 모르게 옷깃을 여미며 아Q에게 적지 않은 존경심을 드러냈다. 그런데 뜻밖에도 그 다음 날, 지보(향촌을 담당하는 치안계)가 오더니, 다짜고짜 아Q를 조 영감 댁으로 끌고 갔다. 아Q를 본 조 영감은 얼굴을 붉히며 소리를 질렀다.

"이런 발칙한 놈아, 네가 우리와 한 집안이라고 말했다지?"

아Q는 아무 대꾸도 하지 않았다.

조 영감은 점점 더 화가 치미는지 한 발짝 걸어 나가서 말했다.

"괘씸한 놈 같으니라고! 네놈이 감히 그런 터무니없는 소리를 지껄여! 내게 어찌 네놈 같은 동족이 있을 수 있단 말이냐! 뭐, 네놈 성이 조씨라고?"

아Q가 여전히 입을 다문 채 물러나려고 하자, 조 영감이 달려들어 따귀를 한 대 갈겼다.

"네놈이 어째서 조가란 말이냐? 원, 당치도 않은 소리다."

그 자리에서 아Q는 자기 성이 조가라고 한 마디도 하지 않았다. 그저 손으로 왼쪽 뺨을 문지르면서 지보와 함께 물러나왔을 뿐이다. 밖에 나온 아Q는 지보에게 한바탕 설교를 듣고 그에게 사례로 술값 두 냥을 주었다. 이 사실을 안 사람들은 '아Q가 엉뚱한 소리를 지껄여 매를 자초했고, 그는 아마 조가가 아닐 것이며 설사 조가라 하더라도, 조 영감이 여기 있는 한 그런 허튼 소리는 하지 말아야 했었다.'고 말했다.

그 뒤로 아Q의 성씨에 대해 이러쿵저러쿵 하는 사람은 아무도 없었으므로, 나도 아Q의 성이 무엇인지 결국 모르게 되었다.

셋째로, 나는 아Q의 이름을 대체 어떻게 쓰는지조차 모른다. 그가 살아 있을 때 사람들은 모두 그를 아Quei라고 불렀지만, 죽은 뒤로는 누구 하나 그를 입에 올리는 사람이 없었다. 하물며 이것을 '죽백에 기록한다(역사에 남긴다)'는 일이 어찌 있을 수 있겠는가? 죽백의 기록으로는 이 문장이 최초가 될 것이므로, 나는 난관에 부딪힌 것이다.

나는 일찍이 아Quei를 '아계'라고 쓰는지, 그렇잖으면 '아귀'라고 쓰는지 곰곰이 생각해 본 적이 있다. 만일 그의 호가 '월정'이거나, 혹은 8월에 생일 잔치를 한 적이 있다고 한다면 아계가 틀림없을 것이다. 그러나 그에게는 호가 없었고——호가 있었을지도 모르나, 그것을 아는 사람은 한 명도 없었다——또 생일 잔치에 초대장을 돌린 적도 없었으므로 아계라고 쓰는 것은 위험하다.

또 만약 그에게 '아부'라는 이름을 가진 형이나 아우가 있었다면, 그 자신은 틀림없이 아귀일 것이다. 그러나 그에게는 형제가 없으므로 아귀라고 부를 만한 아무런 근거가 없다.

그 외에 Quei라는 발음의 서양 글자들도 있긴 하지만, 그건 더욱 아니다. 언젠가 내가 조 영감의 아들인 무재(수재와 같은 이름. 후한 때 광무제의 이름이 유수였기 때문에 '수'자를 피해 수재를 '무재'로 씀)

선생에게 물어 보았더니, 그의 결론 역시 썩 신통치가 않았다. 그의 결론에 의하면 진독수(문학혁명의 지도자)가 《신청년》을 발간하고 서양 문자를 제창했기 때문에 국수(민족 고유의 문화와 정신)가 파괴되었으므로 조사하기 어렵다는 것이다.

내가 선택한 최후의 수단은 고향 사람에게 부탁하여 아Q의 범죄 조서를 조사해 달라는 것이 고작이었다. 8개월 후에야 겨우 답신을 받았으나 조서 중에는 아Quei와 비슷한 발음을 가진 이름은 없다는 것이었다. 정말로 없었는지, 아니면 조사해 보지도 않고 없다고 했는지는 모르겠지만, 나로서는 별 뾰족한 수가 없었다.

주음 부호(한자음을 나타내는 중국식 발음 부호, 주음 자모)는 아직 일반적으로 쓰이지는 않는 것 같으니, 부득이하게 영국식 철자법을 따라 아Quei라고 쓰고, 이것을 줄여서 아Q라고 하는 수밖에 없었다. 이것은 마치 《신청년》을 추종하는 듯하여 나로서는 매우 유감이기는 하나, 무재 선생도 모르는 것을 나라고 해서 별 수 있겠는가?

넷째로, 아Q의 본적이다. 만약 그의 성이 조씨라면, 지방 명문이라고 거들먹거리고 싶어하는 요즘 위인들을 흉내내어 '군명백가성(성 위에 군명을 덧붙여 그 성의 뿌리가 어느 지방에서 비롯되었는지를 표시한 것)'의 주해대로 '농서 천수 사람'이라고 해도 좋을 것이다.

그러나 유감스럽게도 그 성 역시 그리 믿을 만한 게 못 되므로 본적 또한 정하기가 어려운 것이다. 그는 오랫동안 미장에 살고는 있었으나 곧잘 다른 지방에서도 살았으므로 미장 사람이라고 할 수도 없다. 그래서 미장 사람이라 한다 해도 사법(전기를 쓰는 전통적 기준)에 어긋나기는 마찬가지다.

내가 오로지 위안 삼는 바는 '아' 자 하나만은 아주 정확하여 억지로 갖다 붙였다거나 남의 것을 빌려 왔다거나 하지 않았으므로, 어떤 학자에게 보여도 떳떳하다는 것이다. 그 밖의 것은 모두 학문이 얕은 나로서는 알 바 아니다.

　다만 역사벽과 고증벽이 있는 호적지(호적. 자는 적지. 문학혁명에 앞장선 문학 이론가) 선생의 문인들이 장차 새로운 단서를 찾아 내지 않을까 하고 바랄 뿐이지만, 나의 이 《아Q정전》 따위는 그 무렵에는 벌써 사라지고 없을지도 모른다. 이것으로써 이 글의 서문에 대신한다.

우승의 기록

　아Q는 성명과 본적이 확실치 않을 뿐더러, 그 이전의 행적마저도 분명치 않다. 왜냐하면 미장 사람들의 아Q에 대한 관심은 단지 그들이 무슨 일인가를 부탁할 때, 혹은 그를 놀릴 때에만 한정되어 있었다. 당연히 지금까지 누구도 그의 행적에 대해서는 유의하지 않았고, 아Q 자신이 말한 적도 없었다. 다만 남들과 말다툼할 때만은 이따금 눈을 부릅뜨고 이렇게 말했다.

　"우리 집도 예전에는……. 네놈보단 훨씬 더 잘 살았어! 너 따위가 도대체 뭐야!"

　아Q는 집이 없어 토지 신을 모신 미장의 사당 안에서 생활하였으며 일정한 직업도 없었다. 단지 남의 집 날품팔이꾼으로서 보리를 베라면 보리를 베고, 방아를 찧으라면 방아를 찧고, 노를 저으라면 노를 저었다. 시간이 좀 오래 걸릴 때에는 임시로 주인집에서 묵기도 했으나 일이 끝나면 곧 사당으로 돌아갔다.

　그러므로 사람들은 바쁠 때에는 아Q를 생각해 냈지만, 그것도 시킬 일이 있을 때뿐이지 그의 생활에는 도무지 관심이 없었다. 다시 한가해지면 아Q라는 존재마저 잊어버리는 판국이니 행적은 말하여 무엇 하겠는가.

언젠가 한 노인이 아Q에게 일을 잘한다고 칭찬한 일이 있었다. 그 때 아Q는 웃통을 벗은 채 삐쩍 마른 꼬락서니로 그 노인 앞에 서 있었다. 사람들은 이 말이 과연 진심인지 아니면 비꼬는 것인지 종잡을 수가 없었으나, 아Q 자신만은 대단히 기뻐했다.

아Q는 또 자존심이 매우 강해서 미장의 사람들 따위는 아예 안중에 없었고, 심지어 두 사람밖에 없는 문동(현학의 수험 자격자로, 수재가 되지 못하면 오육십이 되어도 문동이라 불림)에 대해서도 전혀 문제 삼지 않는 듯했다.

무릇 문동이란 장차 수재가 될 수도 있는 것이다. 조 영감과 전 영감이 사람들의 존경을 받는 것도 단지 그들이 부자라는 이유뿐만 아니라 문동의 아버지이기 때문인 것이다.

그러나 아Q는 그들에 대해 조금도 존경의 빛을 보이지 않았다. 자기 자식이라면 틀림없이 더 훌륭해질 수 있다고 생각했기 때문이다. 더욱이 그가 몇 번 성안에 들락거렸던 일은 그의 자만심을 잔뜩 부풀려 놓았다.

하지만 그는 한편으로 성안에 사는 사람들까지도 아주 경멸했다. 가령 세 치 폭에 길이가 석 자쯤 되는 널빤지로 만든 걸상을 미장에서는 '장등' 이라고 불렀고 그 자신도 '장등' 이라 부르는데, 성안 사람들은 그것을 '조등' 이라 부른다. 또 미장에서는 다들 도미 튀김에 반 치 길이로 자른 파를 곁들이는데, 성안에서는 가늘게 채썬 파를 얹는다. 그는 이것들 모두 틀린 것이며, 가소로운 일이라고 생각했다. 하지만 미장 사람들은 세상 물정도 모르는 시골뜨기들이므로, 성안의 도미 튀김은 구경한 적도 없었다.

아Q는 '옛날에는 잘 살았고', 아는 것도 많고, 일도 잘 하므로 나무

랄 데 없는 인물이라고 칭찬할 만하지만, 유감스럽게도 그에게는 약간의 신체적 결함이 있었다.

그것은 사람들이 가장 싫어하는 것으로, 그의 머리에 언제 생겼는지도 모르는 나창파(부스럼으로 생긴 대머리 흉터)가 몇 군데 있다는 점이다. 이것 역시 자기 몸의 일부임에는 틀림없으나 아Q 생각으로도 이것만은 결코 자랑스러운 것이 못 되는 것 같았다.

그는 '독(대머리)'이라든가 그와 비슷한 발음조차도 입에 담기 싫어했고, 나중에는 점점 그 범위를 넓혀 '빛난다'라든가 '밝다'라는 말도 꺼렸으며, 급기야 '등'이나 '촛불' 따위의 말까지도 모두 싫어했다.

자신이 정한 그 금기를 깨는 자가 있으면, 이유를 가리지 않고 아Q는 대머리 전체가 빨개지도록 성을 냈다. 상대의 약점을 파악한 다음, 말을 더듬는 놈이면 욕지거리를 퍼붓고, 약한 놈이면 마구 두들겨팼다. 그러나 어찌 된 일인지 아Q가 질 때가 더 많았다. 그래서 그는 차차 방법을 바꿔 눈을 부릅뜨고 노려보기로 했다.

그런데 아Q가 이 노려보기 방법을 채택한 후 미장의 건달들은 더욱 재미있어하며 그를 놀렸다. 만나기만 하면 그들은 깜짝 놀란 시늉을 하면서 말한다.

"야아, 환해졌는데!"

그러면 아Q는 늘 그렇듯이 성을 내면서 노려본다.

"어쩐지! 등불이 여기 있었군 그래!"

그들은 조금도 두려워하지 않는다.

아Q는 하는 수 없이 따로 보복할 말을 생각해 내지 않으면 안 되었다.

"네까짓 놈들에게는……."

그 때 아Q는 자기의 머리에 있는 나창파는 어떤 특별히 고상하고 영광된 '대머리'이며, 보통의 대머리와는 다르다는 생각이 들었다. 그러나 앞에서도 말한 것처럼 아Q는 나름대로 식견이 있으므로 곧 자기가 정한 금기에 저촉된다는 사실을 깨닫고는 더 말하지 않는 것이다.

건달들은 그쯤에서 그치지 않고 도리어 약을 올리다가 끝내는 주먹다짐까지 한다. 겉으로 보기에는 아Q가 싸움에서 졌다. 건달들은 아Q의 불그스름해진 머리채를 잡아가지고 벽에 너덧 번이나 쾅쾅 부딪친 다음에야 겨우 만족해서 의기양양하게 가 버린다.

아Q는 한참 동안 마음속으로 이렇게 생각한다.

'나는 말하자면 자식놈에게 맞은 셈이다. 요즘 세상은 정말 꼴 같지 않아!'

그리고는 그 역시 만족해서 의기양양하게 사라진다.

아Q는 마음속으로 생각했던 것을 나중에 곧잘 말해 버린다. 따라서 아Q를 놀리는 사람들은 대부분 아Q에게는 정신적인 승리법이 있다는 것을 깨달았다. 그래서 그 뒤로는 아Q의 머리채를 움켜쥐고 언제나 먼저 이렇게 말하는 것이었다.

"아Q, 잘 알아둬! 이건 자식이 아비를 때리는 게 아니라, 사람이 짐승을 때리는 거야. 자, 네 입으로 말해 봐! 사람이 짐승을 때린다고 말이야."

아Q는 양손으로 자기 변발의 밑동을 붙잡고 머리를 숙이며 말했다.

"좋아. 벌레를 때리는 거야. 됐지? 나는 벌레다. 그러니 이제 그만 놔줘!"

그렇지만 아Q가 벌레라고까지 말해도 건달들은 그를 놓아 주지 않았다. 그들은 아Q를 어디 가까운 데로 끌고 가 대여섯 번이나 머리를 쾅쾅 짓찧고서야 비로소 만족해서 의기양양하게 가 버린다. 그리고는 '아Q란 놈, 이번에는 혼쭐이 났겠지!' 하고 생각하는 것이다.

그러나 10초도 지나지 않아 아Q도 의기양양하게 사라진다. 그는 자기야말로 자경자멸(스스로를 경멸함)할 수 있는 제1인자라고 생각했다. '자경자멸' 이란 말을 뺀다면 남는 것은 '제1인자' 뿐이다.

'장원이라는 것도 역시 '제1인자' 가 아닌가? 너 따위가 도대체 뭐란 말이냐?'

아Q는 이러한 비법으로 적들을 이긴 다음, 즐거운 듯 술집으로 달려 갔다. 거기서 술을 몇 잔 들이켠 그는 사람들과 한바탕 시시덕거리거나 말다툼을 하고는, 또 거기서 승리를 거두어 즐거운 듯 의기양양하게 사당으로 돌아온다. 그리고는 벌렁 드러누워 잠들어 버린다.

돈이 있을 때면 그는 도박을 하러 간다. 한 무리의 사람들이 땅바닥에 주저앉아 있고, 아Q도 얼굴이 온통 땀범벅이 되어 가지고는 그 속에 끼여 있다. 아Q의 목소리가 가장 크다.

"청룡에 4백!"

"자, 연다!"

노름판 주인이 상자의 뚜껑을 열었다. 그도 얼굴 가득 땀을 흘리며 노래를 불렀다.

"천문이다……. 각은 되돌아섰다. 인과 천당은 죽었어! 아Q의 돈은 내가 먹었어……."

"천당에……. 150!"

아Q의 돈은 노랫소리와 함께 땀을 삐질삐질 흘리고 있는 자들의 허리춤으로 흘러 들어간다. 그는 할 수 없이 마지막에는 사람들 틈을 헤치고 나온다. 그리고는 뒷전에 서서 남의 승부에 열을 올리다가, 노름판이 끝난 뒤에야 아쉬워하며 사당으로 돌아온다. 그 이튿날은 또 흐리멍덩한 눈을 하고 일하러 나가는 것이다.

그러나 정말 '인간만사 새옹지마' 라고 했다. 아Q는 불행하게도 딱 한 번 이겼는데, 그것은 그에게 있어 거의 패배나 마찬가지였다. 미장에서 제사를 지내던 날 밤의 일이었다.

그날 밤은 관습대로 연극 공연이 있었는데, 무대 근처에서는 예전처럼 여기저기 노름판이 벌어졌다.

연극 무대에서 들려오는 징소리와 북소리가 아Q의 귀에는 10리 밖에서 들리는 것처럼 희미하게 들렸고, 다만 노름판 주인의 노랫소리만이 들릴 뿐이었다.

그는 따고 또 따서, 동전은 소은화(10전짜리)로 바뀌고, 소은화는 대은화(1원짜리)로 바뀌어 쌓였다. 대은화가 산더미처럼 쌓이자 그는 아주 신이 났다.

"천문에 두 냥!"

그는 누가 누구하고 무엇 때문에 싸우기 시작했는지 알지 못했다. 욕하는 소리, 때리는 소리, 어지러운 발소리, 뭐가 뭔지 분간할 수도 없는 혼란이 한동안 계속되었다.

그가 간신히 기어 일어났을 땐 노름판도 사라졌고 사람들도 보이지 않았다. 몸 구석구석이 욱신거렸다. 아마도 주먹에 얻어맞고 발에 걷어차인 모양이다.

몇몇 사람들이 이상하다는 듯이 그를 쳐다보고 있었다. 그는 넋잃은 사람처럼 사당으로 돌아와 마음을 가라앉히고 나서야 은화더미가 없어진 사실을 알았다. 더욱이 신제(제삿날) 때 벌어지는 노름판의 노름꾼들은 대부분 그 고장 사람이 아니므로 범인을 찾을 길이 없었다.

새하얗게 번쩍이던 은화더미! 그게 다 그의 것이었는데……. 지금은 없어진 것이다. 아들놈이 가져갔다 치더라도 역시 석연치 않다. 나는 벌레다, 라고 말해 보아도 역시 신통치 않다. 그도 이번만은 약간 패배의 고통을 맛보았다.

그러나 그는 곧 패배의 고통을 승리로 바꾸어 버렸다. 그는 오른손으로 힘껏 자기 뺨을 두세 차례 때렸다. 얼얼한 게 아팠지만, 기분은 조금 나아졌다. 때린 것은 자기고, 맞은 것은 또 다른 자기 같은 기분이 들었다. 하지만 잠시 후엔 자기가 남을 때린 것 같은 기분이 들었다.——아직도 얼얼하기는 했으나——만족해서 자리에 누워 버렸다. 그는 곧 잠이 들었다.

속 우승의 기록

아Q는 항상 우승하고는 있었지만, 그래도 조 영감에게 따귀를 얻어맞기 전까지는 별로 유명하지 않았다.

그는 지보에게 술값 두 냥을 주고는 투덜거리면서 자리에 누웠으나, 나중에 이런 생각이 들었다.

'요즘 세상은 정말 엉망이야. 자식이 아비를 치다니…….'

그러자 갑자기 위풍당당한 조 영감도 지금으로선 그의 자식처럼 생각되었다. 기분이 점점 좋아진 그는 의기양양해서 벌떡 일어나 '청상 과부의 성묘'라는 노래를 부르면서 술집으로 갔다. 이 때 그는 또 조 영감이 다른 사람들보다 한 등급 고상한 위인이라는 생각이 들었다.

희한하게도 그 뒤부터 과연 사람들이 그를 각별히 존경하는 눈으로 바라보는 것 같았다. 아Q로서는 그 이유가 자신이 조 영감의 아버지이기 때문이라고 생각했을지도 모르나 사실은 그렇지가 않았다.

미장의 관례로는 아칠이 아팔을 때렸다든가, 이사가 장삼을 때렸다든가 하는 것은 별 문제가 되지 않았다. 반드시 조 영감 같은 유명한 사람과 관계되어야만 비로소 사람들의 입에 오르내리게 되는 것이다.

한번 입에 오르내리게 되면 때린 사람이 유명한 정도에 따라 맞은 사람도 유명해진다. 잘못이 아Q에게 있음은 두말 할 필요도 없다. 왜냐하면 조 영감쯤 되는 사람이 잘못을 저지를 리가 없기 때문이다. 그런데 아Q가 잘못을 저질렀는데도 불구하고 어째서 사람들은 그를 존경하게 되었는가?

이 점이 아무래도 석연치 않다.

그러나 곰곰이 생각해 보면, 비록 아Q가 조 영감의 동족이라고 했다가 따귀를 맞긴 했지만, 그게 전혀 터무니없는 주장은 아닐지도 모른다. 그래서 조금이나마 경의를 표해 두는 편이 안전하리라는 생각이 들었는지도 모른다.

그렇지 않으면 공자 묘에 제물로 바친 소처럼, 돼지나 양과 같은 짐승인데도 성인(공자)이 젓가락을 댔다는 이유 때문에 선유들도 감히 손을 대지 못하는 것과 같은 이치였다.

그 뒤 여러 해 동안 아Q는 우쭐했었다.

어느 해 봄, 그는 술이 얼근히 취해가지고 거리를 걷고 있었다. 그러자 담장 밑 양지 쪽에서 왕털보가 웃통을 벗어젖히고 이를 잡고 있는 것이 보였다. 그것을 보자 그도 몸이 근질근질해졌다.

이 왕털보는 대머리에다 텁석부리이므로 사람들은 그를 왕대머리 털보라고 부르고 있었다. 그러나 아Q만은 거기에서 '대머리'라는 단어를 빼고 불렀으며, 게다가 그를 몹시 경멸했다.

아Q의 소견으로는 대머리가 기이할 것이 전혀 없었으나, 이 달마 같은 구레나룻만은 아주 기묘해서 꼴불견이라는 것이다. 아Q는 그와 나란히 앉았다. 만약 다른 건달들 옆이었다면 아Q도 마음놓고 앉을 수는 없었겠지만, 이 왕털보 옆이라면 무슨 두려움이 있겠는가! 정말이지 그가 자진하여 앉았다는 것은 그래도 왕털보를 약간 존중해 준 셈이 되는 것이다.

아Q도 누더기 겹옷을 벗고 뒤집어 보았으나 빨래한 지가 얼마 되지 않은 탓인지, 그렇지 않으면 대충 훑어본 탓인지 한참 만에야 겨우 서너 마리를 잡았을 뿐이다. 그러나 왕털보는 계속해서 한 마리, 두 마리, 또 세 마리를 잡아서 입 속에 넣고는 툭툭 소리내어 깨물고 있었다.

아Q는 처음에는 실망했으나 나중에는 약이 바짝 올랐다. 별 볼일 없는 왕털보도 그렇게 많이 잡았는데 자기는 이렇게 적다니, 이건 완전히 체면이 말이 아니다!

그는 커다란 놈을 한두 마리 찾아 내려고 기를 썼으나, 아무리 뒤져봐도 소용없었다. 간신히 중치쯤 되는 놈 한 마리를 잡았다. 분하다는 듯 두툼한 입 안에 집어넣고 힘껏 깨물었으나, 툭! 하는 소리도 왕털보에게는 미치지 못했다.

그의 얼굴은 새빨개졌다. 그는 옷을 바닥에 내동댕이치고 침을 퉤 뱉으며 말했다.

"이 털북숭이 머저리야!"

"이 대머리 개새끼가! 지금 누구한테 욕하는 거냐!"

왕털보는 경멸하듯 눈을 치뜨며 말했다.

아Q는 요즘 비교적 남의 존경을 받아서 제법 뻐기고 다녔지만, 그래도 싸움에 익숙한 건달들을 만나면 역시 겁이 났다. 그런데 이번에는 매우 용감했다. 이 따위 머저리 털북숭이가 어디서 감히 지껄여 댄단 말인가!

"누구냐고? 그걸 몰라서 물어?"

그는 일어서서 양손을 허리에 대고 말했다.

"너, 맞고 싶어 그러냐?"

왕털보도 일어나 웃옷을 걸치면서 말했다.

아Q는 그가 도망치려는 줄 알고 홱 달려가 주먹을 날렸다. 하지만 주

먹이 상대의 몸에 닿기도 전에 억센 손에 붙잡히고 말았다. 왕털보가 왈칵 잡아당기는 바람에 아Q는 비틀비틀 앞으로 쓰러지면서 즉각 왕털보에게 머리 끄덩이를 잡혀 담으로 끌려갔다. 그는 언제나 그렇듯이 머리를 부딪치게 되었다.

"군자는 말로 하지, 손을 대지 않는 법이야(문을 숭상하고 무를 천하게 여기는 중국인의 사고 방식이 드러남)!"

아Q는 고개를 비틀며 말했다.

하지만 왕털보는 군자가 아닌 모양으로 전혀 상관하지 않고, 연거푸 다섯 번이나 머리를 부딪혀 주고는 힘껏 밀어붙였다. 아Q가 여섯 자 거리만큼이나 나가 떨어지는 것을 보고서야 겨우 만족해서 가 버렸다.

아Q의 기억으로는 아마도 이것이 생전 처음 당하는 굴욕적인 사건이리라. 왜냐하면 왕털보는 텁석부리라는 결점 때문에 아Q에게 놀림을 당했으면 당했지 그를 놀린 적은 없었으며, 더욱이 손찌검 따위는 말도 안 되는 소리였다.

그런데 지금 그가 아Q에게 손찌검을 한 것이다. 정말 놀라운 일이다. 설마 세간의 소문처럼 황제가 이미 과거를 폐지해서 수재도 거인도 필요 없게 되었으므로, 그로 인해 조씨 집안의 위풍이 땅에 떨어져 다른 이들도 아Q를 얕보게 된 것은 아닐까?

아Q는 어찌 할 바를 모르고 우두커니 서 있었다.

그 때 저쪽에서 누군가가 오고 있었다. 또다시 그의 적수가 나타난 것이다. 그는 바로 아Q가 가장 미워하는 인물, 즉 전 영감의 장남이다.

얼마 전 그는 성안에 있는 외국식 학교에 다녔는데 무슨 까닭에서인지 다시 일본으로 갔다. 그리고 반 년 후 그가 집에 돌아왔을 때에는 다리도 곧아졌고 변발채도 없어졌다. 그의 모친은 대성통곡을 하며 법석을 떨었고, 그의 아내는 세 번이나 우물에 뛰어들었다. 그 뒤 그의 모친은 어디를 가나 이렇게 떠들고 다녔다.

"그 애가 술에 취했을 때 나쁜 놈들에게 걸려 변발을 잘리고 말았대요. 사실은 훌륭한 관리가 될 수 있었는데, 이제 머리가 자랄 때까지 기다릴 수밖에요."

그러나 아Q는 그 말을 믿지 않았다. 악착같이 그를 '가짜 양놈'이라 부르고, 또 '양놈의 앞잡이'라고도 불렀다. 아Q는 그를 보기만 하면 반드시 속으로 몰래 욕을 해 댔다.

아Q가 그를 더욱 극단적으로 미워하게 된 것은 그의 머리에 얹은 가발로 된 변발 때문이었다. 도대체 변발이 가짜라면 그는 이미 사람으로서의 자격을 잃은 것이나 마찬가지다. 또 그의 아내 역시 우물에 네 번째로 뛰어들지 않는 것을 보면 결코 훌륭한 여인이라고 할 수 없었다.

이 '가짜 양놈'이 가까이 다가왔다.

이전 같으면 아Q는 속으로만 욕을 할 뿐 입 밖으로 소리를 내지는 않았을 것이다. 하지만 이번에는 마침 화풀이를 하려던 참이었으므로 무의식중에 중얼거리고 말았다.

"중대가리, 당나귀……."

그런데 뜻밖에도 이 대머리가 그 소리를 들었는지 니스를 칠한 지팡이, 즉 아Q의 말에 의하면 곡상봉(상주가 드는 지팡이)을 들고 성큼성큼 다가왔다.

아Q는 그 순간 맞을 것을 각오하고 온몸의 근육을 움츠리며 기다리고 있자니까, 과연 딱 하는 소리가 나더니 머리가 아찔해졌다.

"나는 저 애 보고 말한 거야!"

아Q는 곁에 있던 아이를 가리키며 변명했다.

딱! 딱! 딱!

아Q가 기억하기로는 이것이 아마 평생 두 번째의 굴욕적인 사건이리

라. 다행히도 '딱 딱' 하고 얻어맞은 뒤에는 그것으로 사건이 일단락된 듯싶어 도리어 마음이 홀가분해짐을 느꼈다. 게다가 '망각'이라는 조상 전래의 보물(어른이 되면 어린 시절을 잊고 이해심 없는 아버지가 되는 중국인의 결점을 지적한 것)이 효력을 발생했다.

그가 천천히 걷기 시작했다. 술집 문간까지 왔을 때에는 벌써 어느 정도 유쾌해졌다.

그런데 저쪽에서 정수암의 젊은 여승이 걸어왔다. 아Q는 평소에도 그 여인을 보면 반드시 침을 뱉고 욕지거리를 퍼부었는데, 하물며 지금 은 굴욕을 당한 뒤임에랴! 그 굴욕적인 기억이 되살아나 적개심이 불타 올랐다.

'오늘 어째 재수가 없다 했더니, 너를 만나려고 그랬구나!'

아Q는 이렇게 생각하고는 성큼성큼 걸어가 여승의 앞을 가로막으며 큰 소리로 침을 뱉었다.

"칵! 퉤!"

젊은 여승은 거들떠보지도 않고 머리를 숙인 채 걸어갔다. 아Q는 그 여인 곁으로 걸어가더니 별안간 손을 뻗어 그녀의 깎은 머리를 쓰다듬 고는 낄낄거리면서 말했다.

"야! 이 중대가리야! 빨리 돌아가. 중이 기다리고 있어……."

"감히 나에게 집적거리는 게야?"

여승은 얼굴이 벌게지며 이렇게 말하고는 걸음을 재촉했다.

술집 안에 있던 패들이 '와아' 웃었다. 아Q는 자기의 공로가 인정되 었으므로 더욱더 흥이 나서 의기양양해졌다.

"중은 집적거려도 되고, 나는 안 된단 말이냐!"

그는 여승의 뺨을 꼬집었다.

술집 안에 있던 패들이 '와' 웃음을 터뜨렸다. 아Q는 더욱더 신이 났다. 그는 구경꾼들을 만족시키기 위해 다시 한 번 힘껏 여승을 꼬집고는 겨우 손을 놓았다.

그는 여승과의 싸움으로 왕털보의 일을 잊었고 가짜 양놈의 일도 잊어버렸다. 오늘의 모든 악운에 대해서도 완전히 앙갚음한 것 같은 기분이 들었다. 그는 마음이 경쾌해져서 하늘로 두둥실 날아갈 것만 같았다.

"이 씨도 못 받을 아Q놈아!"

멀리서 젊은 여승의 울음 섞인 목소리가 들려왔다.

"하하하!"

아Q는 우쭐해져서 실컷 웃어젖혔다.

"우하하하!"

술집 안에 있던 패들도 그를 따라 만족스레 웃었다.

연애의 비극

누군가가 이런 말을 했다.

'어떤 승리자는 적이 호랑이같고 매같기를 바라며, 그래야만 비로소 승리의 환희를 느낄 수 있다. 만약 적이 양이나 병아리와 같다면 그는 승리해도 도리어 무료함을 느낄 것이다' 라고.

또 어떤 승리자는 일체를 정복한 후에, 죽는 사람은 죽고, 항복하는 사람은 항복하여 '신, 참으로 황공하옵니다. 죽을 죄를 졌사옵니다.' 하는 것을 보면, 그에게는 이미 적도 없고, 경쟁 상대도 없고, 친구도 없으니 오로지 자기만이 홀로 빼어나 외롭고 처량하고 적막하게 되어 오히려 승리의 비애를 뼈저리게 느낀다고 한다.

그런데 우리의 아Q에게는 그런 나약함이 전혀 없다. 그는 영원히 의기양양한 것이다. 이것은 어쩌면 중국의 정신 문명이 세계에서 가장 뛰어나다는 하나의 증거일지도 모른다(청조 말기의 지식인들이 중국이 물질 문명에 있어서는 강국에 뒤질지 모르지만, 정신 문명은 세계 제일이라 주장했음).

보라! 그는 하늘이라도 훨훨 날아다닐 것 같지 않은가!

그러나 이번의 승리는 그를 좀 이상하게 만들었다. 그는 바람처럼 훨훨 반나절 이상을 돌아다니다가 태연히 사당으로 돌아왔다. 그전 같으면 드러눕자마자 곧 코를 골 터인데, 어찌 된 일인지 이날 밤만은 쉽게 잠을 이룰 수가 없었다. 그는 자기 엄지손가락과 집게손가락이 보통 때보다 좀 매끄럽다는 느낌이 들었던 것이다.

젊은 여승의 얼굴에 뭔지 매끄러운 것이 있어서, 그것이 그의 손가락에 묻은 것일까? 그렇지 않으면 그의 손가락이 매끈매끈해질 만큼 여승의 얼굴을 쓰다듬어서 그런 것일까?

"이 씨도 못 받을 아Q놈!"

아Q의 귀에 또 이 말이 들려온다. 그는 생각했다.

'그렇다. 아무래도 여자가 하나 있어야지. 자손이 없으면 죽어도 밥 한 그릇 바쳐 줄 사람 없을 테니……. 아무래도 여자가 있어야 한다. 무릇 불효에 세 가지가 있으니, 그 중 가장 큰 불효가 자손이 없는 것이라. 불효 소리를 듣고, 게다가 죽어서까지도 굶주림을 면치 못해야 하다니, 이렇게 된다면 이같이 불행한 인간도 없을 것이다.'

그러므로 그의 이런 사상은 성현의 가르침에 하나하나 부합되는 것인데, 다만 유감스러운 일은 그 뒤에도 방심을 거둘 수 없었던 것이다.

'여자, 여자!'

하고 그는 생각했다.

'……. 중이면 건드릴 수가 있다……. 여자, 여자! ……. 여자!'

그는 또 생각했다.

우리는 그날 밤에 아Q가 언제쯤 코를 골기 시작했는지는 알 수 없다. 그러나 아마도 이 때부터 그는 손가락이 매끈거림을 느꼈고, 그래서 마음이 들뜨기 시작하여 여자를 생각하게 된 것 같다.

이것으로 미루어 보아도 우리는 여자가 얼마나 사람을 해치는 존재인가를 알 수 있다. 중국의 남자들은 원래 대부분이 성현이 될 자질을 갖고 있지만, 안타깝게도 모두 여자로 인해 망하고 말았던 것이다.

상은 달기 때문에 망했고(주왕이 '달기' 라는 왕비를 총애한 나머지 폭정으로 나라를 망친 고사), 주는 포사로 인해 파멸했으며, 진은……. 역사에는 명백하게 기록되어 있지 않지만 우리는 그것 역시 여자 때문이라고 가정해도 틀림없을 것 같다. 그리고 한의 동탁(한말의 장수로, 초선이라는 여자를 두고 부하인 여포와 다투다가 여포에게 죽임을 당함)은 확실히 초선에 의해 살해된 것이다.

아Q도 원래는 올바른 사람이다. 우리는 그가 어떤 훌륭한 스승에게서 가르침을 받았는지는 모르지만, 그는 '남녀유별' 에 대해서는 지금까지 아주 엄격했었고, 또 이단——젊은 여승이라든가 가짜 양놈 따위——을 배척할 만한 정기도 충분히 가지고 있었다.

그의 이론에 의하면 무릇 여승이란 반드시 중과 사통하는 것이며, 여자가 혼자 밖에 쏘다니는 것은 분명 남자를 유인하기 위해서이고, 남녀 단둘이서 이야기하고 있는 것은 반드시 수상한 관계에 있다는 것이다.

아Q는 그들을 응징하기 위해 종종 무서운 얼굴로 노려보기도 보고, 혹은 큰 소리로 아픈 곳을 찌르는 것 같은 말을 퍼붓기도 하며, 만약 후미진 곳이라면 뒤에서 돌을 던지기도 했던 것이다.

그런데 그는 바야흐로 나이 서른이 다 되어가지고, 젊은 여승으로 인해 마음이 들떠 버릴 줄은 생각지도 못했다. 이 정신이야말로 유교에서는 허용될 수 없는 것이다. 그러니 여자란 정말 가증스러운 존재이다.

만약 젊은 여승의 얼굴이 매끈거리지 않았거나, 또 만약 얼굴에 헝겊이라도 씌워져 있었더라면 아Q가 그렇게까지 미혹되진 않았을 것이다. 실은 5, 6년 전에 한 번 연극 무대 아래 객석에서 어떤 여자의 허벅지를 꼬집은 적이 있었으나, 그 때는 바지 위로 꼬집었으므로 나중에 마음이 어지러워지지는 않았었다.

그러나 젊은 여승의 경우는 그렇지 않았다. 이것 역시 이단이 얼마나 가증스러운 것인지를 증명하는 것이다.

'여자라…….'

하고 아Q는 생각했다.

그는 남자를 유혹하려고 돌아다니는 여자를 언제나 주의 깊게 관찰했지만, 여자는 그에게 전혀 웃음 짓는 일이 없었다.

또 그는 자기와 이야기를 나누는 여자에 대해서도 늘 귀를 기울였으나, 별 그럴 듯한 말도 걸어오지 않았다. 아, 이것 역시 여인의 가증스러운 일면이다. 여자들은 모두 가면을 뒤집어쓴 채 시치미를 떼고 있는 것이다.

그 날 아Q는 조 영감 집에서 종일 방아를 찧었다. 저녁을 먹은 뒤 아Q는 부엌에 앉아 담배를 한 대 피우고 있었다. 다른 집 같으면 저녁을 먹고 나서 곧 돌아갔을 테지만, 조씨네 집에서는 저녁이 너무 일러 그러기도 어려웠다. 평소에는 호롱불을 켜는 것이 금지되어 있어서 저녁을 먹고 나면 곧 자 버렸으나, 이따금 예외도 있었다.

그 하나는, 조 영감 아들이 아직 수재에 합격하지 못했을 무렵으로, 호롱불을 켜고 글을 읽는 것이 허용되었었다. 그 다음은, 아Q가 날품으로 일할 때 호롱불을 켜고 방아를 찧는 것이 허용된 것이다. 이 예외 때문에 아Q는 일을 시작하기 전, 부엌에 앉아서 담배를 피우고 있었던 것이다.

오마는 조 영감 댁의 단 하나밖에 없는 식모였다. 설거지를 끝낸 그녀는 걸상에 걸터앉아 아Q와 잡담을 주고받고 있었다.

"마님은 이틀 동안이나 통 진지를 잡숫지 않아. 나리가 작은집을 들인다고 해서……."

'여자……. 오마……. 이 청상 과부…….'

하고 아Q는 속으로 생각했다.

"우리 새아씨는 8월에 아기를 낳으신대……."

'여자…….'

하고 아Q는 생각했다. 그런 다음 담뱃대를 놓고 일어섰다.

"우리 새아씨는……."

오마는 계속 끈덕지게 지껄여 댔다.

"너, 나하고 자자, 응? 나하고 자자."

아Q는 별안간 달려들어 그녀 앞에 무릎을 꿇었다. 한순간 모든 것이 조용해졌다.

"에구머니!"

오마는 질겁을 하고 갑자기 떨기 시작했다. 그리고는 큰 소리를 지르면서 밖으로 뛰어나갔다. 오마는 달아나면서도 소리를 질러 댔고, 나중에는 울먹이기까지 했다.

아Q는 벽을 향해 무릎을 꿇은 채 멍하니 앉아 있었다. 이윽고 두 손으로 반 걸상을 짚고 일어났다. 어쩐지 일이 좀 우습게 되었다는 생각이 머리를 스치고 지나갔다.

그는 더럭 겁이 났다. 당황해서 담뱃대를 허리에 꽂고는 곧 방아를 찧으러 가려고 했다. 순간 '딱' 하는 소리와 함께 무언가에 머리를 얻어맞았다. 급히 돌아다보니 수재가 굵은 대나무 몽둥이를 들고 그의 앞에 우뚝 서 있었다.

"이런 돼먹지 못한 놈 같으니라고……. 네 이놈!"

그는 아Q를 향해 굵은 대나무 몽둥이를 내리쳤다. 아Q는 두 손으로 황급히 머리를 감쌌다. '딱' 하더니 몽둥이는 바로 손가락에 맞았다. 이번에는 정말 아팠다. 그는 급히 부엌문으로 튀어나오다가 등에 또 한 대를 얻어맞았다.

"이런 파렴치한!"

수재는 등뒤에서 공용어로 마구 욕을 퍼부었다.

아Q는 방앗간으로 뛰어들어가 우두커니 서 있었다. 아직도 손가락이 아팠다. '파렴치한'이라는 말이 아직도 귓가에 생생했다.

이런 말은 본래 미장의 시골뜨기들은 쓰지 않는다. 오로지 관청에 드나드는 훌륭한 나리들만이 쓰는 말이므로 각별히 인상깊었다. 이 바람에 그의 '여자……!' 하는 생각은 어디론가 사라져 버렸다. 더구나 매를 맞고 욕을 먹고 나니, 그걸로 사건이 끝난 것 같아 천연스레 방아를 찧기 시작했다. 한참 방아를 찧고 있으려니 땀이 나서 점점 몸이 더워 왔다. 그래서 잠시 일손을 놓고 웃옷을 벗었다.

웃옷을 벗었을 때, 밖에서 뭔가 왁자지껄 하는 소리가 들렸다. 천성적으로 떠들썩한 구경을 좋아하는 아Q는 재빨리 소리나는 곳으로 뛰어나갔다. 소리나는 곳을 찾아서 가다 보니 어느 새 조 영감 댁 안마당까지 오고 말았다. 어둑어둑할 무렵이기는 했으나, 그래도 많은 사람들을 분간할 수는 있었다.

조씨 댁 사람들이 다 모여 있었는데, 그 중에는 이틀 동안 밥을 먹지 않았다는 마님도 끼여 있었다. 그 밖에 이웃의 추칠 아줌마와, 조 영감의 진짜 친척인 조백안, 조사신도 있었다.

마침 새아씨가 오마의 손을 끌고 하녀 방을 나오면서 말했다.

"너, 이리로 나와……. 방에만 숨어 있지 말고……."

"네가 행실 바른 여자라는 건 세상이 다 알고 있어. 그러니 절대로 경
솔한 짓을 해서는 못 써!"

추칠 아줌마도 곁에서 말참견을 했다. 오마는 그저 울기만 하면서 뭐
라고 지껄였는데, 분명히 알아들을 수가 없었다.

아Q는 생각했다.

'흥, 재미있구나. 이 청상 과부가 도대체 무슨 장난을 쳤을까?'

그는 물어 보려고 조사신 옆으로 가까이 갔다. 이 때 그는 별안간 조
영감이 자기 쪽으로 달려드는 것을 보았다. 그의 손에는 굵은 대나무
몽둥이가 들려 있었다.

그는 이 굵은 대나무 몽둥이를 보자, 돌연 자기가 조금 전에 매를 맞
은 일이 아무래도 지금의 소란과 관련이 있음을 깨달았다. 그는 몸을
홱 돌려서 달아났다. 방아 찧는 곳으로 도망치려고 했으나 대나무 몽둥
이가 그의 앞을 가로막았다. 그래서 그는 잽싸게 몸을 돌려 다시 뒷문
으로 빠져 나왔다. 잠시 뒤 아Q는 벌써 사당 안에 돌아와 있었다.

아Q가 잠시 멍하니 앉아 있으려니까 피부에 소름이 끼치면서 한기가
들었다. 봄이라고는 하지만 밤이 되면 아직도 쌀쌀했다. 벌거벗고 있기
에는 무리였다. 그는 조씨 댁에 웃옷을 두고 왔다는 생각이 났으나, 그
것을 가지러 가자니 또 수재의 대나무 몽둥이가 생각났다. 그러고 있는
데 지보가 들이닥쳤다.

"아Q, 이 머저리 같은 녀석! 너 조씨 댁 하녀한테까지 손을 댔다지!
덕분에 나까지 밤잠을 못 자게 됐어. 이 머저리 같은 놈아!"

이러쿵저러쿵 한바탕 설교를 늘어놓았으나, 아Q는 한 마디 대답도
못했다. 끝내는 밤중이라 해서 지보에게 평소 두 배의 술값을 치러야
했으나, 아Q는 마침 현금이 없어서 털모자를 저당 잡히고, 또 다섯 조
항에 서약을 했다.

첫째, 내일 한 근짜리 홍초 한 쌍과 향 한 봉을 가지고 조씨 댁에 가서 사죄할 것.

둘째, 조씨 댁에서 도사(도교의 중)를 불러 목 매달아 죽은 귀신을 쫓아 버리는 굿을 하는데, 그 비용을 모두 아Q가 부담할 것.

셋째, 아Q는 앞으로 다시 조씨 댁 출입을 하지 말 것.

넷째, 만약 오마에게 앞으로 이변이 생기면 모든 책임은 아Q가 질 것.

다섯째, 아Q는 품삯을 달라거나 웃옷을 돌려 달라는 요구를 하지 말 것.

아Q는 물론 전부 승낙했으나, 유감스럽게도 돈이 없었다. 다행히 이 제는 봄이므로 솜이불은 없어도 된다. 그래서 이것을 20냥에 잡혀가지고는 조약을 이행했다. 웃통을 벗은 채로 머리를 조아려 사죄한 뒤, 그에게는 몇 푼인가의 돈이 남았다. 아Q는 저당 잡힌 털모자를 찾지도 않고 몽땅 털어서 술을 마셔 버렸다.

그런데 조씨 댁에서는 향을 피우지도, 초를 켜지도 않았다. 마님이 불공 드릴 때 쓸 요량으로 간직해 두었다는 것이다. 누더기 웃옷은 대부분 새아씨가 8월에 낳을 아기의 기저귀 감이 되었고, 나머지 누더기 조각은 오마의 신발 밑창이 되었다.

생계 문제

아Q는 사죄 의식이 끝나자 전처럼 다시 사당으로 돌아갔다. 해가 서산으로 기울어짐에 따라 점차 세상이 이상스레 느껴졌다. 곰곰이 생각해 보니, 그것은 전적으로 자기가 웃옷을 벗고 있기 때문임을 깨달았다. 그는 누더기 겹옷이 아직 남아 있음을 생각해 내고, 곧 그걸 껴입고는 자리에 드러누웠다. 다시 눈을 떴을 때에는 해가 벌써 서쪽 담 위에서 빛나고 있었다. 그는 몸을 일으키면서 투덜거렸다.

"제기랄!"

그는 일어나자마자 평소처럼 거리를 어슬렁거리며 돌아다녔다. 반나체로 있던 때처럼 살을 에는 추위는 없었으나, 또 어쩐지 세상이 좀 이상하다는 느낌이 들었다.

이 날부터 어쩐지 미장의 여자들은 자기를 보고 수줍음을 타는 것 같았다. 그들은 아Q를 보면 저마다 대문 안으로 몸을 숨겨 버렸다. 심지어 50이 다 된 추칠 아줌마저도 남들을 따라 몸을 숨겼으며, 열한 살짜리 딸까지 불러들이는 것이었다.

아Q에게는 이 모든 것이 퍽 이상스러웠다. 그래서 이렇게 생각했다.

'이것들이 갑자기 웬 얌전한 처녀 흉내를 내고 있나? 화냥년들 같으니라고.'

그러나 그가 더욱 세상이 괴상해졌다고 느낀 것은 그로부터 여러 날이 지나서였다.

첫째, 술집에서 외상이 통하지 않게 되었다. 둘째, 사당을 관리하는 늙은이가 이러쿵저러쿵 지껄이는 품이 그를 내쫓으려는 것 같다. 셋째, 며칠이나 되었는지 기억할 수 없으나 꽤 여러 날 아무도 그에게 날품을 얻으러 오지 않는다.

술집에서 외상을 안 주는 것은 참으면 그만이고, 늙은이가 내쫓으려 한대도 투덜거리는 대로 내버려 두면 그만이지만, 아무도 날품을 얻으러 오지 않는 것은 아무래도 아Q의 배를 곯게 만드는 일이다. 이것만은 정말 중요한 문제인 것이다.

아Q는 도저히 참을 수가 없어서 단골집들을 찾아다니면서 물어 보는 수밖에 없었다——조씨 댁의 출입은 금지되어 있었지만——그런데 사태는 생각보다 심각했다. 약속이나 한 것처럼 그 집 남자가 나와서 거지를 돌려보내듯 손을 내저으며 말하는 것이었다.

"없어, 없어! 그러니 꺼져!"

아Q는 더욱 이상한 생각이 들었다. 이런 집에서는 언제나 일이 많아서 삯꾼이 필요했었는데, 지금에 와서 별안간 일이 없어질 리가 없다. 여기에는 반드시 무슨 곡절이 있음에 틀림없을 것이다.

그래서 주의 깊게 살펴 본 결과, 그들은 일이 있으면 모두 소D(소동)에게 달려가는 것이었다. 소D는 몸집도 작고 기운도 없는 말라깽이이므로 아Q 편에서 보면 왕털보보다도 우스운 녀석이었다.

그런데 뜻밖에도 이 애송이 녀석이 그의 밥그릇을 가로채고 있는 것이다. 따라서 이번에 아Q가 느낀 분노는 보통 때와는 아주 달랐다. 그는 화가 머리끝까지 올라 길을 걸어가면서 별안간 손을 쳐들고 노래를 불렀다.

"고들개 철편으로 네놈을 치리……."

며칠 뒤 그는 전씨 댁 대문 앞에서 우연히 소D와 부딪혔다. 원수는 외나무다리에서 만난다더니…….

아Q가 험상궂은 얼굴로 다가서니 소D도 그 자리에 멈춰 섰다.

"이런 개새끼!"

아Q는 눈을 부릅뜨고 말했다. 입에서 침이 튀었다.

"그래, 난 벌레다. 이젠 됐지?"

소D가 말했다.

이 겸손이 도리어 아Q의 화를 돋우었다. 그러나 그의 손에는 철편이 없었으므로 그대로 덤벼들어 소D의 머리채를 움켜쥐었다.

소D는 한손으로 자기의 머리채 밑을 붙잡고 다른 한손으로는 아Q의 머리채를 움켜잡았다. 아Q도 남은 한쪽 손으로 자기의 머리채 밑을 눌렀다.

예전의 아Q 같으면 소D 따위는 상대도 안 되는 것이었지만, 그는 요즘 줄곧 굶주려 있었기 때문에 수척하여 기운이 없는 점에서는 소D와 엇비슷한 상태였다.

네 개의 손이 두 개의 머리를 서로 움켜잡고서 허리를 구부린 모습은 전씨 집의 흰 벽에 하나의 푸른 무지개를 그리는 듯했다. 그 싸움이 30분 남짓이나 계속되었다.

"이젠 됐다, 됐어!"

구경꾼들이 소리쳤다. 아마도 중재할 모양이었다.

"됐다, 됐어!"

구경꾼들이 다시 말했다. 중재하는 건지, 칭찬하는 건지, 아니면 부추기는 건지 도무지 종잡을 수가 없었다.

하지만 그들은 둘 다 들은 척도 하지 않았다. 아Q가 서너 발짝 앞으로 나아가면 소D는 서너 발짝 뒤로 물러났다. 소D가 다시 서너 발짝 나서면 아Q도 서너 발짝 물러났다.

30분이나 지났을까——하긴 미장에는 시계라는 것이 흔하지 않아 정확히는 알 수 없으나 혹 20분 정도 되었는지도 모른다——그들의 머리에서는 김이 모락모락 나고, 이마에서는 땀이 흘러내렸다. 아Q의 손에서 힘이 쫙 빠지더니 동시에 소D의 손도 늦추어졌다. 두 사람은 동시에 허리를 펴고 뒤로 물러섰다. 그리고 둘 다 군중 속을 헤치고 나갔다.

"어디 두고 보자, 이 망할 자식……."

아Q가 돌아보며 말했다.

"좋아, 두고 보자……."

소D도 돌아보며 말했다.

이 '용호의 싸움'의 1막은 무승부로 끝났다. 구경꾼들이 만족했는지 어쨌는지는 모르나, 아무도 거기에 대해 말하는 사람이 없었다. 그러나 아Q에게는 여전히 날품팔이 일이 들어오지 않았다.

어느 따뜻한 날이었다. 산들바람이 불어 제법 여름철 같은 날씨를 보였으나 아Q만은 으스스한 추위를 느꼈다. 추위는 그런 대로 참을 수 있다 해도, 우선 배가 고파 죽을 지경이었다. 솜이불, 털모자, 웃옷은 없어진 지 오래였고, 다음에는 솜옷도 팔아먹었다. 마지막으로 바지 하나가 남아 있었으나, 이것만은 벗어버릴 수 없다. 누더기 겹옷도 있기는 하나 남에게 주어 신발 밑창이나 하라고 하면 모를까, 팔아서 돈이 될 것은 아니었다.

그는 이전부터 길바닥에서 돈이라도 주웠으면 하고 바랐으나, 지금까지 그런 일은 한 번도 없었다. 그는 자기의 쓰러져 가는 집구석에 혹시 돈이라도 떨어져 있지 않나 하고 황급히 사방을 둘러보기도 했으나, 방 안은 텅 비어 있었다.

그는 하는 수 없이 밖으로 나가 구걸을 하기로 결심했다.

그는 길을 걸으면서 구걸할 작정이었다. 단골 술집들이 눈에 띄었고, 낯익은 만두집도 보였다. 그러나 그는 모두 그냥 지나쳐 버리고 말았다. 발걸음도 멈추지 않았을 뿐 아니라 구걸하려고도 하지 않았다. 그가 구하려는 것은 이런 것이 아니었다. 그렇다면 그가 구하려는 것은 무엇인가? 그것은 그 자신도 잘 알지 못했다.

미장은 본래 큰 마을이 아니어서 금세 마을을 빠져 나갔다. 마을을 벗어나면 온통 논이다. 눈에 가득 들어오는 것은 모두가 파릇파릇한 못자리이며, 그 사이에 점점이 박혀 움직이고 있는 것은 논을 매고 있는 농부이다.

하지만 아Q는 이런 들판 풍경은 감상하지 않고 그저 걷기만 했다. 왜냐하면 그것들이 그가 음식을 구하려는 일과는 퍽 인연이 먼 것임을 직감으로 알았기 때문이다. 계속 걷다 보니 아Q는 어느 새 정수암의 담 밖에까지 오고 말았다.

암자 주위는 거의가 논이었다. 신록 사이로 흰 벽이 우뚝 솟아 있었고, 뒤쪽의 얕은 토담 안은 채마밭이었다. 아Q는 한참 망설이다가 주위를 둘러보았다. 아무도 없었다. 그는 하수오(새박뿌리) 덩굴을 붙잡고 얕은 담을 기어올랐다. 그런데 토담의 흙이 부석부석 떨어져 내리며 아Q의 다리도 후들후들 떨리기 시작했다. 마침내 그는 뽕나무 가지를 휘어잡고 안으로 뛰어내렸다.

담 안은 푸릇푸릇한 뽕나무가 무성했으나, 황주나 만두 또는 그 밖에 먹을 만한 것은 아무것도 없는 것 같았다. 서쪽 담을 따라 펼쳐진 대밭에는 죽순이 가득 나 있었으나, 유감스럽게도 그것은 모두 삶아 익힌 것이 아니었다. 유채도 있었으나 이미 씨가 들었고, 갓은 꽃이 피었으며, 봄배추도 장다리가 서 있었다.

아Q는 그 모든 기대가 물거품으로 돌아가자, 마치 시험에 낙방한 서생처럼 풀이 죽었다. 채마밭 쪽으로 천천히 걸어가던 아Q는 별안간 놀라움과 기쁨으로 가슴이 뛰었다. 거기에는 무밭이 있었던 것이다. 그는 바닥에 주저앉아 무를 뽑기 시작했다. 그 때 입구 쪽에서 갑자기 동그란 머리 하나가 힐끔 내다보더니 안으로 들어가 버렸다. 틀림없이 젊은 여승이다.

그러나 젊은 여승 따위는 아Q의 눈에는 본래 먼지와 같은 존재였다. 하나 세상일이란 한 발짝 물러나서 생각해야 한다는 말을 기억했다.

그는 재빨리 무 네 개를 뽑아서 푸른 잎사귀를 뜯어 버리고 옷섶 안에 쑤셔 넣었다. 하지만 어느 새 늙은 여승이 아Q 앞에 나타나 있었다.

"나무아미타불, 아Q! 어째서 남의 채마밭에 몰래 들어와 무를 훔치는 거냐……. 아, 벌을 받아 싸지. 나무아미타불!"

"내가 언제 당신 밭에 들어가 무를 훔쳤어?"

아Q는 뒤로 비칠비칠 달아나면서 말했다.

"그럼……. 거기 숨긴 건 뭐냐?"

늙은 여승은 그의 말아 올린 앞자락을 가리켰다.

"이게 어째서 당신 거야? 무한테 물어 볼 수 있어? 당신……."

아Q는 말을 채 끝맺지도 못하고 뛰기 시작했다. 커다란 검정개가 아Q를 쫓아왔기 때문이다. 이놈은 본래 정문에 있는 개인데, 어찌 된 일인지 뒤꼍 밭에 와 있었다.

검정개가 으르렁거리며 쫓아와 막 아Q의 발을 물려는 참이었다. 그때 다행스럽게도 아Q의 품에서 무 한 개가 굴러 떨어지는 바람에, 개는 깜짝 놀라 멈춰 섰다. 그 틈에 아Q는 이미 뽕나무 위로 기어올라 토담 밖으로 굴러 떨어졌다. 뒤에서는 아직도 검정개가 뽕나무를 올려다보며 짖어 대고, 늙은 여승은 여전히 염불을 외고 있었다.

아Q는 늙은 여승이 다시 검정개를 풀어놓지나 않을까 두려워, 무를 꼭 안고 뛰어갔다. 달아나면서 돌을 몇 개 주웠지만, 검정개는 뒤따라오지 않았다.

그제서야 아Q는 돌을 버리고 천천히 걸어가면서 무를 먹기 시작했다. 그러면서 생각했다.

'여기서는 얻어 낼 것이 아무것도 없다. 차라리 성 안으로 들어가자…….'

무 세 개를 다 먹었을 즈음 아Q는 성 안으로 들어가겠다는 결심을 굳히고 있었다.

중흥에서 몰로까지

아Q가 다시 미장에 모습을 드러낸 것은 그 해 중추절이 막 지난 무렵이었다.

아Q가 돌아왔다고 하자 사람들은 모두 의아해했다. 그리고는 새삼스럽게 그가 어디에 가 있었을까, 하고 수군대는 것이었다.

아Q는 전에도 몇 번 성 안에 갔다 온 일이 있는데, 그 때마다 혼자신이 나서 사람들에게 떠벌리곤 했었다. 그런데 이번에는 그렇지 않았으므로 아무도 염두에 두지 않았다.

어쩌면 사당을 관리하는 노인에게만은 말했을지도 모르나, 미장의 관례로 보아 조 영감과 전 영감, 혹은 수재 영감이 성 안에 들어갔다면 문제가 되겠지만, '가짜 양놈' 조차도 아직 그 축에 끼지 못할 정도이니, 아Q쯤이야 말할 필요도 없는 것이다. 그런 까닭에 사당의 노인이 그를 위해 선전을 했을 리가 없고, 따라서 미장 사람들도 전혀 알 리가 없었던 것이다.

그러나 아Q가 이번에 돌아온 것은 전과는 아주 딴판인 것으로 확실히 놀랄 만한 가치가 있었다. 날이 저물 무렵, 그는 몽롱한 눈으로 술집 문 앞에 나타났다. 그는 술청으로 가까이 걸어가 허리춤에서 불쑥 무언가를 꺼냈다. 그리고는 은전과 동전 한 움큼씩을 계산대 위로 던지며 말했다.

"현금이오! 술 좀 주슈!"

그가 입고 있는 것은 새로 맞춘 겹옷이다. 그리고 허리에는 커다란 주머니를 차고 있는데, 꽤 묵직해서 주머니를 찬 자리의 허리띠가 축 늘어져 있다.

좀 주목할 만한 인물이라 생각되면 경멸하기보다는 오히려 존경해 두는 것이 미장의 관례였다. 지금 그가 분명히 아Q라는 것은 알고 있었지만, 어쩐지 누더기 옷을 입은 예전의 아Q와는 좀 다른 것 같았다.

옛 사람들도 말하기를 '선비란 사흘만 떨어져 있어도 다시 눈을 크게 뜨고 보아야 한다'고 했기 때문에, 주인도 점원도 손님도 행인들도 일종의 의심을 품으면서도 일단 존경의 태도를 표시했다.

주인은 우선 머리를 꾸벅 하고는 말을 걸었다.

"오, 아Q! 이제야 돌아왔군!"

"돌아왔지!"

"잘됐군. 자네 어디서 돈을 많이 벌었나 본데……."

"성 안에 가 있었지!"

이 소식은 이튿날 당장 온 미장에 퍼졌다. 사람들은 모두 현금을 갖고 새 겹옷을 입은 아Q의 중흥사를 알고 싶어했다. 그래서 사람들은 술집이라든가 찻집, 절간의 처마 밑에서 차차 소문을 염탐해 냈다. 그 결과 아Q는 새로운 존경을 받게 되었다.

아Q의 말인즉, 그는 거인 영감 댁에서 일을 도와주고 있었다는 것이다. 이 대목에서 듣는 사람들은 모두 숙연해졌다.

이 영감은 본래 백씨지만, 성 안에서 오직 하나뿐인 거인이므로 성을 붙이지 않아도 그저 거인이라 하면 으레 그를 가리키는 것이다.

이것은 비단 미장에서뿐만 아니라 근방 백 리 안팎에서는 통하는 말이었다. 그래서 사람들은 거의 대부분 그의 성명이 거인 영감인 줄 알고 있었다.

그런 사람 집의 일을 거들어 주고 있었다면 당연히 존경할 만한 일이었다. 그러나 또 아Q의 말에 의하면, 그는 다시 일을 거들어 줄 생각은 없었다. 왜냐하면 이 거인 영감이 영 막돼먹었기 때문이다. 이 한 마디에 듣는 사람들 모두가 '훅' 한숨을 내쉬거나 또는 통쾌해했다.

왜냐하면 아무리 뜯어봐도 아Q 따위는 거인 영감 댁에서 일할 만한 위인이 못 되지만, 막상 일을 거들러 가지 않는다는 것은 아무래도 아까운 일이었기 때문이다.

아Q의 말에 의하면, 그가 미장에 돌아온 이유 중에는 성안 사람들에 대한 불만도 있는 것 같았다. 즉 성안 사람들은 장등을 '조등'이라고 부른다는 점, 또 생선 튀김에 채 썬 파를 곁들이는 점, 그리고 최근에 유심히 관찰한 결과 여자들의 실룩거리는 걸음걸이가 과히 꼴불견이라는 점 등이다.

그러나 더러는 성안에도 감탄할 만한 점이 있었다. 예컨대 미장의 촌뜨기들은 32장의 골패짝밖에 할 줄 모르고, 오직 '가짜 양놈'만이 마장(마작을 말함)을 할 줄 아는데, 성안에서는 조무래기들까지도 모두 그것에 능숙하다. 저 '가짜 양놈' 따위는 성안의 조무래기들 속에 놓아 두면 금방 '염라대왕 앞의 귀신'처럼 꼼짝 못하리라는 것이다. 이 대목에서 듣는 사람 모두는 얼굴을 붉혔다.

"너희들, 사람 목 자르는 것 본 적 있어?"

아Q가 물었다.

"흥, 볼만하지. 혁명당을 죽이는 거야. 볼만하다마다……."

아Q는 머리를 흔들며 맞은편에 앉아 있는 조사신의 얼굴에 침을 튀겼다. 이 말을 듣고 사람들은 모두 섬뜩해졌다.

그런데 아Q는 사방을 휘 둘러보더니, 별안간 오른손을 쳐들었다. 그리고는 목을 길게 빼더니 정신없이 듣고 있던 왕털보의 뒷덜미를 곧장 내리쳤다.

싹둑!

왕털보는 깜짝 놀라 자리에서 벌떡 일어났다. 동시에 전광석화처럼 목을 움츠렸다. 이야기를 듣고 있던 사람들도 모두 깜짝 놀랐으나 한편으로는 재미있어하기도 했다. 그 후 왕털보는 며칠 동안 머리가 띵했다. 그는 두 번 다시 아Q 근처에도 갈 엄두를 내지 못했다. 이것은 다른 사람들도 마찬가지였다.

당시 미장 사람들의 눈에 비친 아Q의 지위란 조 영감 이상의 것이라고는 할 수 없지만, 거의 대등하다고 해도 지나치지 않았다.

그리고 얼마 안 가서 아Q의 명성은 갑자기 온 미장의 규중에까지 퍼졌다. 비록 미장에서는 전씨와 조씨 일족만이 대저택에 살고 있었고, 그밖에는 대부분 보잘것없는 집들이었지만, 어쨌든 규중은 규중이었다. 여인들은 만나기만 하면 꼭 아Q의 이야기를 했다.

"추칠 아줌마가 아Q에게서 남색 비단 치마를 샀대. 비록 낡긴 했지만 단돈 90전이란다. 또 조백안의 어머니(일설에는 조사신의 어머니라는 말도 있으니 고증을 요함)도 아이들에게 입힐 빨간 모슬린 홑옷을 샀는데 거의 신품이고, 값도 단돈 30전밖에 안 된다나 봐."

그러자 여인들은 눈이 휘둥그레져 가지고 열심히 아Q를 쫓아다녔다. 비단 치마가 필요한 사람은 그에게 물어 비단 치마를 사고 싶어했고, 모슬린 홑옷이 탐나는 사람은 그에게서 그것을 사고 싶어했다. 이제는 아Q의 얼굴을 보면 달아나기는커녕, 때로는 아Q를 뒤쫓아 가서 그를 불러 세우고 묻는 것이었다.

"아Q, 비단 치마가 아직도 있어? 없다고? 그럼, 모슬린 홑옷이 필요한데, 그건 구해 줄 수 있겠지?"

마침내 이것은 조씨 집안에까지 퍼져 나갔다. 그도 그럴 것이, 추칠 아줌마가 기쁜 나머지 그의 비단 치마를 조씨 부인에게 보이러 갔고, 조씨 부인은 또 그것을 조 영감에게 입에 침이 마르도록 자랑했기 때문이다.

조 영감은 저녁을 먹는 자리에서 아들 수재와 토론한 끝에 이렇게 결론을 내렸다.

'아Q에게는 어딘지 수상한 점이 있다. 그러니 문단속을 잘하는 게 좋을 것이다. 그러나 그의 물건 중에는 아직 살 만한 것이 있을지도 모른다.'

게다가 조씨 부인은 마침 값싸고 질 좋은 모피 배자를 사고 싶어하던 참이다. 그래서 가족의 동의를 얻어 추칠 아줌마에게 부탁하여 곧 아Q를 불러오기로 결정이 났다. 또 이 때문에 제3의 특례를 내려 이날 밤은 특별히 등불을 켜는 것을 허락했다.

등잔 기름이 제법 말라가는데도 아Q는 좀체 나타나지 않았다. 조씨 댁의 식구들은 기다리다 지쳐서 연신 하품을 해 댔다. 그러면서 아Q가 너무 뽐낸다고 욕을 하기도 하고, 추칠 아줌마가 약삭빠르지 못하다고 불평하기도 했다.

조씨 부인은 아Q가 지난 봄의 사건(출입 금지) 때문에 오지 못하는 것이 아닌가 하고 근심했다. 그러나 조 영감은 자기가 직접 아Q를 부른 것이니 걱정할 필요는 없다고 말했다.

과연 조 영감의 예상이 들어맞았다. 마침내 아Q가 추칠 아줌마의 뒤를 따라 들어온 것이다.

"이자가 그저 없다고만 하는군요. 그러면 네가 직접 가서 말하라고 해도 자꾸만 싫다고 해서……. 그래서 제가……."

추칠 아줌마가 헐레벌떡 뛰어오며 말했다.

"나리!"

아Q는 웃는 듯한 표정으로 처마 밑에 멈춰 섰다.

"아Q! 그래, 넌 성 안에 가서 돈을 좀 벌었다지?"

조 영감은 천천히 걸어나가 그의 몸을 아래위로 훑어보며 말했다.

"잘됐어, 거 참 잘됐어. 그런데, 뭐 헌 물건이 있다던데……. 전부 가져와서 보여 주지 않겠나? 실은 나도 그게 좀 필요해서…….”

“추칠 아줌마한테도 말했습니다만, 이젠 다 없어졌어요.”

“뭐? 없어져?”

조 영감은 무의식중에 언성을 높였다.

“그렇게 빨리 없어질 리가 없을 텐데?”

“그것은 친구 것이었는데 별로 많지 않았지요. 사람들이 죄다 사 갔으니까요…….”

“그래도 조금은 남아 있겠지?”

“지금은 문발 하나가 남아 있을 뿐입니다.”

“그럼 그 문발이라도 보여 주게.”

조씨 부인이 다급히 말했다.

“그렇다면 내일 가져오면 돼.”

조 영감은 그다지 마음이 내키지 않았다.

“아Q, 이제부터 무슨 물건이 생기면 제일 먼저 우리에게 갖다 보여 주게나. 값은 두둑히 계산해 줄 테니…….”

하고 수재가 말했다.

수재의 부인은 아Q의 얼굴을 한 번 힐끔 쳐다보더니, 아Q의 반응을 살폈다.

“나는 모피 배자를 갖고 싶은데…….”

조씨 부인이 다시 입을 열었다.

아Q는 승낙은 했으나 썩 내키지 않는 표정으로 걸어 나갔다. 그가 정말 마음에 새겨 두었는지 어쨌는지는 알 수가 없었다. 이러한 태도는 조 영감을 매우 실망시켰으며, 화를 돋우었다. 그는 몹시 걱정하여 하품이 멎어 버릴 정도였다.

수재도 아Q의 태도에 대해서 대단히 불만이었다. 그래서,

"이런 머저리 같은 놈은 조심하는 게 상책이다. 차라리 지보에게 일러서 미장에 살지 못하게 하는 것이 나아!"

하고 말했다.

그러나 조 영감은,

"그렇지 않다. 그런 짓을 하면 원한을 살 뿐이다. 하물며 이런 장사를 하는 놈들은 대부분 '매는 제 둥지 밑의 먹이는 먹지 않는다.'고 하니 우선 이 마을에선 걱정할 필요가 없어. 다만 각자가 밤중에 경계만 철저히 하면 되는 거야!"

하고 말했다.

수재는 이 훈계를 듣고 그럴듯하다고 생각되어 아Q를 추방하자는 제의를 즉각 철회했다. 그리고 추칠 아줌마에게 이 이야기만은 아무에게도 지껄이지 말라고 당부했다.

그런데 이튿날 추칠 아줌마는 남색 치마를 검게 물들이러 나간 김에, 아Q가 수상하다는 소문을 퍼뜨렸다. 그러나 수재가 아Q를 추방하려 했다는 대목만은 전혀 입 밖에 내지 않았다. 하지만 이 정도로도 아Q에게는 몹시 불리했다.

제일 먼저 지보가 찾아와 그의 문발을 가져갔다. 아Q는 조씨 부인이 보여 달라는 것이라고 말했으나, 지보는 돌려주지 않았다. 뿐만 아니라 다달이 내는 상납금의 액수를 정하자고 위협했다.

다음에는 그에 대한 마을 사람들의 존경의 태도에 갑작스런 변화가 나타났다. 아무도 감히 난폭하게 굴지는 않았지만 어쩐지 그를 피하려는 기색이 역력했다. 이런 분위기는 지난 번 '싹둑!'의 위험을 피하려던 때와는 달리 멀리하려는 빛이 더 많이 섞여 있었다. 다만 몇몇 건달들만이 아Q의 진상을 자세히 알고 싶어 꼬치꼬치 캐물었다. 아Q는 별로 숨기려 하지 않고 자랑스럽게 그의 경험담을 이야기했다.

그 후로 사람들은 비로소 아Q의 정체를 알게 되었다. 아Q는 일개 단역에 불과하며, 담도 뛰어넘지 못할 뿐 아니라 안에 들어가지도 못하고, 다만 담 밖에 서서 훔친 물건을 받았던 것이다.

어느 날 밤, 주역이 그에게 보퉁이 하나를 넘겨주고 다시 안으로 들어갔다. 들어간 지 얼마 되지 않아 안에서 왁자지껄 떠드는 소리가 들려, 그는 황망히 도망을 쳤다. 밤중에 성을 빠져 나와 미장으로 돌아왔는데, 두 번 다시 그런 짓을 할 마음이 없어졌다는 것이다.

그런데 이 이야기는 아Q에게 더욱 불리했다. 왜냐하면 마을 사람들이 아Q를 멀리하려는 것도 실은 원한을 살까 두려워서였는데, 알고 보니 그는 두 번 다시 도둑질할 엄두도 내지 못하는 좀도둑에 불과했던 것이다. 그야말로 두려워할 가치도 없는 존재가 아닌가?

혁 명

선통 3년 9월 14일(서기 1911년 11월 4일에 해당하며, 10월 10일 신해혁명이 일어난 후, 이 날 소흥에서 호응하여 혁명이 일어남)은 아Q가 허리춤에 차고 있던 전대를 조백안에게 팔아 버린 날이다. 한밤중에 검은 뜸을 씌운 커다란 배 한 척이 조씨 댁 도선장에 닿았다.

이 배는 칠흑 같은 어둠 속을 노 저어 왔는데, 그 때 마을 사람들은 모두 잠들어 아무도 알지 못했다. 그러나 배가 나갈 때는 이미 새벽이었으므로 그것을 본 사람이 더러 있었다. 몰래 알아 본 바에 의하면, 그것은 거인 영감의 배라는 것이었다.

그 배는 미장 사람들에게 큰 불안을 가져다 주었다. 정오도 되기 전에 마을 사람들은 벌써 술렁이기 시작했다.

조씨 댁에서는 배가 들어온 이유에 대해서 굳게 입을 다물고 있었으나, 찻집이나 선술집에서는 모두 혁명당이 입성할 것 같아 거인 영감이 우리 마을로 피난 온 것이라고 말했다.

다만 추칠 아줌마만은 그렇지 않다고 주장했다. 그녀는 거인 영감이 헌옷 상자를 몇 개 맡기려 했지만, 조 영감이 거절해서 도로 가져갔다고 말했다.

사실 거인 영감과 조 수재는 평소에 사이가 나빴고, 이치적으로 따져도 환난을 함께할 만큼 친분이 두텁지도 않았다. 또한 추칠 아줌마는 조씨 댁과 이웃간이었으며 견문이 비교적 믿을 만했으므로, 아마도 그녀의 말이 옳을 것이다.

그러나 추측은 계속되었다. 그 내용인즉, 아마 거인 영감이 직접 오지는 않은 모양이나, 조씨 집안과는 먼 친척이 된다는 장문의 편지를 보내 왔다는 것이다. 그래서 조 영감은 배알이 틀렸으나 자기로서는 불리

할 것이 없으므로 순순히 상자를 받아 놓았다가, 그것을 마누라의 침대 밑에 처박아놓았다는 것이다.

또 어떤 사람은 말하기를, 혁명당은 밤을 타서 성 안에 들어왔는데 저마다 흰 투구에다 흰 갑옷을 입고 있었다 한다. 그것은 명조의 숭정황제(명나라 최후의 황제. 명나라가 멸망하여 청나라가 서자 혁명 지사는 '반청 복명'을 슬로건으로 삼음)를 추모하는 뜻으로 입은 상복이라는 것이다.

아Q도 혁명당이란 말을 벌써부터 듣고 있었고, 금년에는 자기 눈으로 혁명당이 살해되는 것도 보았다. 그러나 무엇에 근거를 둔 것인지는 몰라도 그는 혁명당은 반역이며, 반역은 자기를 괴롭히는 것이라는 일종의 확신을 갖고 있었다. 그래서 지금까지 혁명당을 몹시 증오해 왔던 것이다.

그런데 이게 웬일인가. 뜻밖에도 백 리 사방에 이름이 알려진 거인 영감마저 이렇게 두려워하는 것을 보니, 그로서도 마음이 끌리지 않을 수 없었다. 게다가 미장의 어중이떠중이들까지 당황해하는 꼴은 더욱 아Q를 유쾌하게 만들었다.

'혁명도 나쁘지는 않겠는걸.'

하고 아Q는 생각했다.

'이런 나쁜 놈들은 죽여 버려라, 더러운 놈들! 미운 놈들……. 좋아. 나도 항복해서 혁명당이 되어야지.'

아Q는 최근 용돈이 궁해져서 그렇잖아도 잔뜩 불평을 품고 있던 참이다. 더구나 대낮부터 빈속에 술을 두 사발이나 마셨더니 더욱 빨리 취기가 올랐다. 걸어가면서 생각하고 있는 동안에 아Q는 다시 마음이 들뜨기 시작했다.

어찌 된 셈인지 별안간 자기가 혁명당이고 미장 사람들은 모두 그의 포로인 것 같은 기분이 들었다. 그는 의기양양한 나머지 자기도 모르게 큰 소리로 외쳤다.

"혁명! 혁명이다!"

미장 사람들은 모두 공포의 눈초리로 그를 바라보았다. 그 가련한 눈초리란 아Q가 일찍이 보지 못했던 것이다. 그것을 보자 아Q는 한여름에 빙수를 마신 것처럼 속이 후련했다. 그는 점점 더 신이 나서 걸으면서 고함을 질렀다.

"자, 이제 탐나는 것은 모두 다 내 것이다! 내 마음에 드는 계집도 모두 내 것이다! 지화자 좋을씨고! 후회한들 소용없다. 취한 김에 그만 실수로 내 형제 정의 목을 베었구나. 그러나 후회해도 소용없다. 아아아! 지화자 좋을씨고! 나와라 이놈, 고들개 철편을 들고, 네놈을 치리……."

조씨 댁의 두 영감과, 두 진짜 친척들이 때마침 대문 앞에서 혁명 이야기를 하고 있었다. 아Q는 그들을 거들떠보지도 않은 채 머리를 쳐들고 신나게 노래를 부르며 지나갔다.

"지화자……."

"아Q 씨!"

조 영감이 겁먹은 눈으로 아Q를 쳐다보면서 나지막하게 불렀다.

"좋을씨고!"

아Q는 자기 이름에 '씨' 자가 붙으리라고는 생각지 않았으므로, 자기와는 상관없는 말이겠거니 하고 그저 노래만 불렀다.

"지화자 좋을씨고, 지화자 좋을씨고!"

"아Q 씨."

"후회한들 소용없다……."

"아Q!"

수재는 할 수 없이 '씨' 자를 빼고 그의 이름을 불렀다. 아Q는 그제야 비로소 노래를 멈추고 고개를 돌려 물었다.

"뭐야?"

"아Q 씨……. 요사이……."

조 영감은 막상 아Q를 불러놓고 보니 할 말이 없었다.

"요사이……. 돈은 잘 버나?"

"돈을 벌어? 아무렴. 갖고 싶은 것은 뭐든 다 내 것이지."

"아……. Q 군, 우리 같은 가난뱅이 동지들끼리는 걱정하지 않아도……."

조백안은 마치 혁명당의 말투를 흉내내듯이 조심조심 말했다.

"가난뱅이 동지라고? 당신이? 당신은 아무래도 나보다는 부자지."

아Q는 그렇게 말하고는 가 버렸다. 일동은 모두 넋을 잃고 아무 말도 하지 않았다. 조 영감 부자는 집으로 돌아와 저녁 등잔불을 켤 때까지 의논했다.

조백안은 집에 돌아오자 허리춤에서 전대를 끌러 아내에게 주며 상자 밑바닥에 감춰 두게 했다.

아Q는 마음이 들떠서 돌아다니다가 사당으로 돌아왔다. 술도 거의 깨어 있었다.

이날 밤은 사당지기 노인도 그에게 친절하게 굴며 차를 권했다. 아Q는 떡 두 개를 달래서 먹은 다음, 이번에는 쓰다 남은 150그램짜리 양초를 촛대를 끼워 달래서 불을 켰다.

그런 다음 자기 방에 벌렁 드러누웠다. 말할 수 없이 기분이 상쾌하고 즐거웠다. 촛불은 마치 정월 대보름 원소절 날 밤처럼 초롱초롱 빛났고, 그 불빛을 따라 그의 공상도 나래를 펴기 시작했다.

'혁명? 거 참, 재미있다……. 흰 갑옷에 흰 투구의 혁명당 패들이 쳐들어온다. 저마다 청룡도와 고들개 철편, 폭탄과 총, 양인검과 장도를 들고서. 사당 앞을 지나가며, '아Q! 함께 가세!' 하고 소리친다. 그래서 아Q도 함께 마을로 간다.

이 때 미장의 시시한 놈들 꼬락서니란 볼 만할 것이다. 저마다 무릎을 꿇고 '아Q, 목숨만은 살려 줘!' 하고 애원하겠지. 흥! 하지만 누가 들어 준담! 맨 먼저 죽일 놈은 소D와 조 영감이다. 그리고 수재, 이어서 가짜 양놈……. 몇 놈이나 남겨 둘까? 왕털보는 남겨 둬도 상관없지만, 아냐, 그놈도 없애 버려야…….

그리고 물건은……. 곧장 안으로 뛰어들어가 상자를 열어젖힌다. 마제은, 은화, 모슬린 홑옷…….

수재 마누라의 남경식 침대를 우선 사당으로 운반해 온다. 그리고 전가 놈의 탁자와 의자를 벌려 놓고……. 아니, 그러지 말고 조가의 것으로 할까?

이제 내가 손을 쓸 필요는 없다. 소D를 시켜 운반시키되, 꾸물대면 흠씬 두들겨 패 줄 테다…….

조사신의 누이동생은 정말 추물이다. 추칠 아줌마의 딸은 아직 젖비린내가 나고, 가짜 양놈의 마누라는 변발도 없는 사내와 동침했으니……. 흥! 썩 좋은 물건은 못 돼! 수재 마누라는 눈꺼풀 위에 흉터가 있고……. 참, 오마는 오래 못 만나서 어디 있는지도 모른다……. 그런데 유감스럽게도 발이 너무 커.'

아Q는 공상이 끝나기도 전에 벌써 곯아떨어졌다. 150그램짜리 양초는 아직도 절반밖에 닳지 않았다. 흔들흔들 붉게 타오르는 불빛이 그의 벌어진 입을 비추고 있었다.

"어!"

아Q는 별안간 큰 소리를 지르면서 머리를 쳐들고 사방을 두리번거렸다. 150그램짜리 양초를 보고는 곧 머리를 숙이고 잠들어 버렸다.

다음 날 그는 아주 늦게 일어났다. 거리에 나가 보니 모든 것이 여전했다. 그 자신도 여전히 배가 고팠다. 그는 생각을 해 봤으나 신통한 생각이 떠오르지 않았다. 그러다가 갑자기 무슨 좋은 생각이 떠올랐는지 느릿느릿 걷기 시작하더니, 어느 새 정수암에 이르렀다.

정수암은 봄철과 마찬가지로 조용했고, 흰 벽에 검은 문이었다. 그는 한참을 생각하다가 문을 두드렸다. 개 한 마리가 안에서 짖어 댔다. 그는 재빨리 벽돌 조각을 몇 개 집어들고 다시 문으로 가서 이번에는 힘차게 두드렸다. 검은 문에 꽤 많은 흠집이 났을 즈음에야 비로소 누군가가 문을 열고 나오는 소리가 들렸다.

아Q는 급히 벽돌 조각을 움켜쥐고 발을 딱 벌린 채 검정개와 싸울 태세를 갖추었다. 그런데 암자의 문이 빠끔히 열렸을 뿐 안에서 검정개가 튀어나오지는 않았다. 들여다보니 늙은 여승 하나뿐이었다.

"아Q, 또 뭣하러 왔어?"

늙은 여승이 깜짝 놀라며 물었다.

"혁명이야……. 알고 있어?"

아Q는 아주 모호하게 말했다.

"혁명, 혁명이라고? 혁명은 벌써 끝났어……. 너희들이 우리를 어떻게 혁명한다는 거야?"

늙은 여승은 두 눈이 새빨개가지고 말했다.

"뭐라고?"

아Q는 도무지 이해가 안 갔다.

"모르고 있었나? 그 사람들이 벌써 혁명하러 왔는데!"

"누가?"

아Q는 더욱 이해가 안 됐다.

"저 수재와 가짜 양놈 말이다!"

아Q는 너무도 뜻밖이라 그만 얼떨떨해졌다. 늙은 여승은 풀이 꺾인 그의 모습을 보자 재빨리 문을 닫아 버렸다. 아Q가 다시 밀어 보았지만 문은 꼼짝도 하지 않았다. 또다시 두드려 보았으나 아무 반응이 없었다.

그것은 그 날 오전에 있었던 일이다. 조 수재는 소식이 빨라서 혁명 당이 밤새 성 안에 들어왔다는 것을 알고 있었다. 그래서 재빨리 변발을 머리 꼭대기로 말아 올렸다. 그리고는 날이 밝는 대로 이제껏 사이가 안 좋았던 가짜 양놈을 방문했다.

바야흐로 '모두 함께 새로워지는 유신'의 때였으므로, 그들은 척척 장단이 맞아 당장에 의기투합하는 동지가 되었다. 그들은 함께 혁명으로 매진할 것을 약속했다.

그들은 논의를 거듭한 끝에, 정수암에 있는 '황제 만세! 만만세!'라는 용패야말로 빨리 개혁하여 파기해야 할 것이라는 의견을 모았다. 그래서 곧 두 사람이 암자 안으로 혁명을 하러 갔다.

늙은 여승이 나와서 앞을 가로막자, 두서너 마디 억지 심문을 한 끝에 그들은 그 여승을 청조 정부로 간주하고, 단장과 주먹으로 머리를 마구 때렸다.

그들이 사라진 뒤 늙은 여승이 분을 누르고 살펴 보았더니, 용패는 벌써 산산조각이 나 있었고, 관음상의 보좌 앞에 있던 선덕 향로(명나라 선덕 연간에 만들어진 동제 향로)가 보이지 않았다.

아Q는 이 일을 나중에야 알았다. 그는 자기가 늦잠 잔 것을 매우 후회하였으며, 또한 조 수재와 가짜 양놈이 자기를 부르러 오지 않은 것을 매우 이상하게 생각했다.

그는 또 한 발짝 물러나서 생각해 보았다.

'놈들이 내가 혁명당이 된 것을 아직 모를 리가 없을 텐데?'

혁명 금지

미장의 인심은 날로 안정되어 갔다. 소문에 의하면 혁명당이 입성하기는 했으나 별로 큰 변동은 없었다는 것이다. 지사 영감도 역시 그대로였으며, 다만 관명이 조금 바뀐 데 지나지 않았다. 거인 영감 또한 무슨 관직——이러한 직명의 경우 미장 사람들은 들어도 모른다——에 나아갔고, 군대의 대장도 역시 파총(청나라의 무관명) 그대로였다.

다만 한 가지 무서운 것은 그 속에 몇몇의 혁명당원이 끼여 있어 혼란을 일으키고 변발을 자르기 시작했다는 것이다. 이웃 마을의 선주 칠근이가 첫 번째로 걸려 볼썽사나운 꼴이 되었다는 소문이다.

하지만 이것은 그다지 큰 공포는 아니었다. 왜냐하면 미장 사람들은 본래 성 안에 들어가는 일이 드물었고, 비록 성 안에 들어가려고 했어도 곧 그 계획을 바꾸기만 하면 이런 위험은 피할 수 있었기 때문이다.

아Q는 성 안에 들어가 친구를 만날 예정이었으나 이 소식을 듣고는 포기해 버렸다.

그러나 미장에도 전혀 개혁이 없었던 것은 아니다. 며칠 뒤에는 변발을 머리 꼭대기에 감아 올리는 사람이 점점 늘어갔다.

앞서 말한 대로 제일 먼저 앞장을 선 사람은 물론 수재 영감이었는데, 그 다음은 조사신과 조백안, 그리고 다음이 아Q였다. 만약에 여름철이었다면 사람들이 변발을 머리 꼭대기로 감아 올리거나 혹은 묶거나 해도 조금도 이상할 게 없었을 것이다. 그러나 지금은 벌써 늦가을이었으므로 이 가을에 하령을 행한다는 것은 변발을 감아 올리는 사람들에게는 대단한 결단이라 하지 않을 수 없었다. 그래서 이제 미장도 결코 혁명과 무관하다고는 말할 수 없게 된 것이다.

조사신이 뒤통수를 휑 하니 드러낸 채(변발을 늘어뜨리지 않았으므로) 걸어오는 것을 본 마을 사람들은 와글와글 떠들어 댔다.

"와아, 혁명 당원이 오셨다."

아Q는 이 소식을 듣고 무척 부러워했다. 그는 수재가 변발을 감아 올렸다는 소식을 벌써 듣고 있었으나, 자기도 그렇게 할 수 있으리라고는 생각지 못했다. 그런데 이제 조사신도 그렇게 했다는 말을 듣고는 자기도 비로소 흉내내어 볼 마음이 생겨 마침내 결심을 굳혔다. 그는 한 개의 대젓가락으로 변발을 머리 꼭대기에 감아 붙이고 한참 망설이다가 간신히 용기를 내어 거리로 나갔다.

사람들이 그를 보았으나 그다지 놀라는 것 같지는 않았다. 아Q는 처음에는 불쾌했고, 그 다음에는 대단히 불만스러웠다.

아Q는 요즘 툭하면 짜증을 부렸다. 사실 그의 생활은 혁명 전에 비하면 조금도 나빠지지 않았다. 사람들은 그에게 공손했고, 상점에서도 현금이 아니면 물건을 안 준다든지 하는 일도 없었다. 그러나 아Q는 자신이 너무 보잘것없이 느껴졌다. 혁명을 한 이상 이런 꼴이어서는 안 된다고 생각했다. 더구나 소D를 만난 뒤로 그는 더욱 배알이 뒤틀렸다.

소D 역시 대젓가락으로 변발을 머리 꼭대기에다 감아 붙이고 있었다. 아Q는 설마 그놈까지 이런 짓을 하리라곤 꿈에도 생각지 못했고, 또 도저히 그 꼴을 그냥 보아 넘길 수가 없었다.

'소D 따위가 뭐야?'

그는 즉각 놈을 붙잡아 놈의 대젓가락을 두 동강 내고, 변발을 풀어 내린 다음 뺨을 몇 대 갈겨 주었다. 놈이 제 분수를 잊고 감히 혁명당이 되려고 한 죄를 다스리려고 했던 것이다. 그러나 결국 그를 용서해 주고, 다만 노한 눈으로 흘겨보며 퉤 하고 침을 뱉었을 뿐이다.

요 며칠 사이에 성 안에 들어간 사람은 가짜 양놈 하나뿐이었다. 조수재는 의복 상자를 맡아 준 인연을 믿고 친히 거인 영감을 방문할 생

각이었지만, 변발을 잘릴 위험이 있으므로 중지하고 말았다. 대신 그는 황산격의 편지(격식을 갖춘 편지)를 한 통 써서 가짜 양놈에게 부탁하여 성 안으로 가지고 가게 했다. 또한 그 자신을 거인 영감에게 소개하여 자유당에 입당시켜 주기를 당부했다.

가짜 양놈은 돌아오더니 수재에게 입당 회비로 은화 4원을 청구했다. 그리고 얼마 후 수재는 가슴에 한 개의 은제 복숭아(자유당의 휘장)를 달게 되었다. 미장 사람들은 모두 놀라서 탄복했고, 이것은 시유당(자유당의 뜻을 잘 모르는 농민들은 그와 발음이 비슷한 시유당으로 알고 있었다)의 휘장으로 한림과 대등한 것이라고들 말했다.

조 영감은 이것 때문에 다시금 갑자기 훌륭해졌는데, 그것은 아들이 처음으로 수재에 급제했을 때보다도 더 대단했다. 그의 눈에는 보이는 것이 없었고, 아Q를 만나도 본체만체했다.

아Q는 갈수록 불평이 쌓인 데다 또 시시각각 열등감을 느끼고 있었으므로, 이 은제 복숭아 이야기를 듣는 순간 자기가 뒤떨어지게 된 원인을 깨달았다.

혁명을 하려면 그냥 항복 소리만 해 가지고는 안 된다. 변발을 말아 올리는 것만으로도 안 된다. 역시 혁명당과 교제를 맺고, 혁명당원을 알아 두어야 한다. 그가 평소에 알고 지내는 혁명당원은 단지 두 사람뿐인데, 성 안의 한 사람은 벌써 '싹둑!' 처형당했고, 현재로는 가짜 양놈 한 사람만이 있을 뿐이다. 그로서는 재빨리 가서 가짜 양놈과 의논하는 수밖에는 다른 길이 없었다.

전씨 집 대문은 마침 열려 있었다. 아Q는 살금살금 발소리를 죽이며 안으로 들어가려다 깜짝 놀랐다. 마침 가짜 양놈이 정원 한가운데에 서 있었는데, 양복 같은 새까만 것을 입고 가슴에는 은제 복숭아를 달았으며, 손에는 아Q가 고통을 당했던 단장을 들고 있었다. 겨우 한 자 남짓

자란 변발을 어깨 위에 늘어뜨리고 봉두난발한 꼴은 마치 그림에서 본 유해 선인(당말 오대 사람으로, 신선이 되었다고 함) 같았다. 그 앞에는 조백안과 세 사람의 건달패가 차려 자세로 마주 보고 서서 '가짜 양놈'의 연설을 듣고 있는 중이었다.

아Q는 살금살금 걸어가 조백안 뒤에 서서 인사를 하려고 했으나, 마땅한 호칭이 떠오르지 않았다. 가짜 양놈이라 불러서는 물론 안 되고, 그렇다고 외인이라 해도 마땅치가 않다. 혁명당이라 하기도 어색하고……. 그럼, 양 선생이라고 부르면 어떨까?

'양 선생'은 좀처럼 그를 쳐다보지 않았다. 왜냐하면 마침 눈을 허옇게 뜨고 강연에 열중해 있었기 때문이다.

"나는 성질이 급해서 그들과 만나기만 하면 늘 이렇게 말했어. '홍 형(여원홍. 청말 민국초의 군인으로서 남경 임시정부의 부총통을 지냄)! 빨리 시작합시다.' 그런데 그는 늘 '노'라고 말했지.——이것은 서양 말이라 너희들은 모른다——그렇지 않으면 벌써 우린 성공했을 거야. 그러나 이것이야말로 그가 일을 함에 있어서의 신중함이라고 할 수 있지. 그는 나에게 몇 번이나 호북으로 와 달라고 부탁했으나, 나는 승낙하지 않았다. 누가 그런 작은 현에서 일하기를 원하겠는가?"

"에에, 저어……."

아Q는 그가 잠시 말을 멈추기를 기다렸다가, 겨우 용기를 내어 입을 열었다. 그러나 어찌 된 일인지 그를 '양 선생'이라고 부르지 못했다.

연설을 듣고 있던 네 사람은 모두 깜짝 놀라 아Q를 돌아보았다. 양 선생도 그제야 고개를 돌렸다

"어, 뭐냐?"

"저어……."

"나가!"

"저도 혁명당에 항복하려고……."

"빨리 꺼지라니까!"

양 선생은 곡상봉을 높이 쳐들었다. 조백안과 건달패들도 모두 야단을 쳤다.

"선생님이 나가라고 하시는데, 어째서 말을 안 듣느냐!"

아Q는 손으로 머리를 감싸고는 정신없이 문 밖으로 뛰쳐나왔다. 양 선생은 더 이상 쫓아오지 않았다. 그는 60보쯤 뛰어와서야 간신히 걸음을 늦추었다.

그러자 그의 마음에는 깊은 우수가 끓어올랐다. 양 선생이 그에게 혁명을 허락하지 않는다면 다른 길이 없지 않은가. 이제부터는 결코 흰 투구를 쓰고 흰 갑옷을 입은 사람이 그를 부르러 올 가망도 없는 것이다. 그의 모든 포부, 의지, 희망, 전도는 한꺼번에 무너져 버렸다.

건달패들이 이 소문을 퍼뜨려 소D나 왕털보에게까지 웃음거리가 되겠지만, 그런 것은 둘째 문제였다.

그는 지금까지 한 번도 이런 씁쓰레한 기분을 맛본 적이 없는 것 같았다. 아Q는 자기가 변발을 말아 올린 것조차 무의미한 것 같은 생각에 모욕을 느끼기까지 했다. 보복하기 위해서 당장에라도 변발을 풀어 내리려고 생각했으나, 결국 그렇게 하지도 못했다.

아Q는 밤이 깊도록 서성거리다가 외상 술을 두 사발 마셨다. 목구멍으로 술이 들어가자 그는 점점 기분이 좋아져 마음속에 또 흰 투구, 흰 갑옷의 영상이 떠올랐다.

어느 날, 그는 예전처럼 하릴없이 거리를 쏘다니다가 선술집이 문을 닫을 무렵에야 간신히 터덜터덜 사당으로 돌아왔다.

딱— 펑!

그는 돌연 이상한 소리를 들었다. 분명 폭죽 소리는 아니었다. 아Q는 본래가 구경을 즐기고 쓸데없는 일에 참견하기를 좋아하므로, 곧 어둠 속을 달려나갔다. 앞에서 사람들 발소리가 들리는 것 같았다. 그 소리에 가만히 귀를 기울이고 있을 때, 갑자기 저쪽에서 한 사람이 도망쳐 왔다. 아Q는 그것을 보자 재빨리 몸을 돌려 뒤쫓아갔다.

그 사람이 방향을 바꾸면 아Q도 따라서 방향을 바꾸었다. 그 사람이 골목길을 돌면 아Q도 멈춰 섰다. 아Q는 뒤돌아보았으나 아무도 없었다. 그 사람을 자세히 보니 바로 소D였다.

"뭐야?"

아Q는 약이 바짝 올랐다.

"조……. 조가네 집이 약탈당했어!"

소D는 숨을 헐떡이며 말했다.

아Q의 가슴은 두근두근했다. 소D는 그렇게 말하고는 다시 가 버렸다. 아Q는 도망가다가는 쉬고, 또 도망가다가는 쉬곤 하였다. 그는 이런 일에 경험이 많다 보니 남들보다 담력이 센 편이었다.

조씨 집 근처로 가서 귀를 기울이니 떠들썩한 소리가 들렸다.

자세히 보니 흰 투구에 흰 갑옷을 입은 사람들이 연달아 상자와 가구를 메고 나오는 것이 보였다. 수재 마누라의 남경식 침대도 메고 나오는 모양이었으나 확실히는 알 수 없었다. 그는 좀더 앞으로 나아가려 했으나 두 다리가 영 말을 듣지 않았다.

이날 밤에는 달도 없었다. 어둠에 싸인 미장은 매우 고요했다. 고요하기가 마치 복희씨 시대를 연상시키는 듯했다. 아Q는 그 자리에 우뚝 서서 싫증이 나도록 조씨 댁을 쳐다보고 있었다.

역시 흰 투구에 흰 갑옷 입은 사람들이 왔다갔다하면서 조금 전처럼 물건을 나르고 있었다. 수많은 상자와 가구들……. 수재 마누라의 남경식 침대도 실려 나오고……. 너무 많은 물건들이 들려 나오는 바람에 아Q는 자신의 눈을 믿을 수가 없어졌다. 그러나 아Q는 더 이상 앞으로 나가지 않고 사당으로 돌아왔다.

사당 안은 더욱 깜깜했다. 그는 자기 방으로 더듬어 들어가 잠시 누워 있었다. 그제야 기분이 가라앉아 자신의 일을 생각할 수 있게 되었다. 흰 투구에 흰 갑옷을 입은 사람들이 분명히 왔는데도 자기를 부르러 오지 않았다. 좋은 물건들을 잔뜩 가져갔으나 자기 몫은 없다——이것은 전부 밉살스런 가짜 양놈이 나에게 혁명을 허락하지 않았기 때문이다. 그렇지 않다면 이번에 어째서 내 몫이 없단 말인가?——아Q는 생각하면 생각할수록 더욱 화가 치밀어올랐다. 나중에는 마음 가득 쌓인 울분을 참을 수 없어서 세차게 머리를 흔들며 지껄였다.

"나에게는 혁명을 허락하지 않고, 네놈만 혁명할 셈이렷다? 이 개돼지 같은 가짜 양놈! 어디 두고 보자, 네놈만 혁명을 했겠다! 반역죄는 목이 잘리는 죄야. 내 어떻게 해서든지 고소해서 네놈이 관청으로 잡혀 들어가 목이 댕강 잘리는 꼴을 보고야 말 테니……. 네놈의 일가모두 목이 잘리고, 네놈의 재산도 모두 몰수하고 말 테다. 댕강, 댕강!"

대 단 원

조씨 집안이 약탈당한 후 미장 사람들은 대부분 통쾌해하면서도 한편으로는 두려워했다. 그것은 아Q 역시 마찬가지였다.

그런데 그로부터 나흘 후 아Q는 한밤중에 갑자기 체포되어 성 안으로 연행되었다. 그 때는 마치 칠흑처럼 깜깜한 밤이었다. 일대의 병사들과 일대의 자경단원, 일대의 경찰, 그리고 다섯 명의 형사가 어둠을 틈타 미장에 숨어들었다. 그들은 사당을 포위하고 문 정면에 기관총을 걸어놓았다.

그러나 아Q는 튀어나오지 않았다. 한참 동안 아무런 기척이 없자, 대장은 다급해져서 20냥의 상금을 걸었다. 그제서야 자경단원 두 사람이 위험을 무릅쓰고 담을 넘어 들어갔다. 그리고는 안팎이 협력해서 한꺼번에 쳐들어가 아Q를 끌어 냈다. 사당 밖에 걸어 놓은 기관총 앞으로 잡혀 나왔을 때에야 겨우 아Q는 정신이 좀 들었다.

성 안에 도착했을 때는 벌써 정오였다. 아Q는 자기가 어느 허름한 관청으로 끌려들어가 대여섯 번 모퉁이를 돌고 나서 조그만 방에 처박혀졌음을 알았다. 그가 비틀비틀하는 순간에 통나무로 만든 창살 문이 그의 발뒤꿈치를 따라오듯 닫혔다. 창살 문 이외의 삼면은 모두 벽이었다. 자세히 보니 방 귀퉁이에 또 다른 두 사람이 있었다.

아Q는 좀 불안했으나 그렇게 괴롭지는 않았다. 왜냐하면 그의 사당 침실이라고 해 봤자, 이 방보다 더 편안하지는 않았기 때문이다. 그 두 사람도 시골뜨기인 모양인데, 차차 그와 친해지게 되었다.

한 사람은 그의 할아버지 대에 체납한 소작료를 지불하라고 거인 영감에게 고소당했다는 것이며, 또 한 사람은 무슨 일 때문에 끌려왔는지도 모른다고 했다. 그들이 아Q에게 묻자, 아Q는 분명하게 대답했다.

"나는 혁명을 하려 했기 때문이오."

오후에 아Q는 또 유치장 문 밖으로 끌려 나갔다. 대청에 가 보니 앞에는 머리를 빡빡 깎은 노인 한 사람이 앉아 있었다. 아Q는 그가 중인가 의심했으나 아래쪽을 보니 1개 소대의 병사들이 늘어서 있고, 책상 옆에도 긴 두루마기를 입은 사람들이 10여 명이나 서 있었다.

그 중에는 노인처럼 머리를 빡빡 깎은 사람도 있고, 한 자 남짓한 긴 머리를 가짜 양놈처럼 뒤로 늘어뜨린 사람도 있었다. 하나같이 무서운 얼굴을 하고, 성난 눈으로 그를 노려보고 있었다. 아Q는 이 사람들이

권력이 있는 사람들이라고 생각하자, 별안간 무릎의 힘이 쑥 빠져 곧 꿇어앉고 말았다.

"서서 말씀드려라! 꿇어앉으면 안 돼!"

긴 두루마기를 입은 사람들이 일제히 꾸짖었다. 아Q는 그 말뜻을 알아들었으나, 아무래도 서 있을 수가 없었다. 몸이 저절로 움츠러들어 그만 다시 꿇어 엎드리고 말았다.

"노예 근성!"

긴 두루마기를 입은 인물이 경멸하듯 말했으나, 다시 일어서라고는 하지 않았다.

"내 다 알고 있으니까 사실대로 말해라. 그렇지 않으면 매를 면치 못할 것이다. 사실대로 말하면 너를 석방시켜 주겠다!"

머리를 빡빡 깎은 노인이 아Q의 얼굴을 뚫어지게 쳐다보며 침착하게 말했다.

"말해라! 어서!"

긴 두루마기를 입은 사람이 또 큰 소리로 말했다.

"사실 전 여기 와서 가담하려고⋯⋯."

아Q는 멍하니 생각하다가 겨우 떠듬거리며 말했다.

"그러면 왜 오지 않았나?"

노인은 부드럽게 물었다.

"가짜 양놈이 허락하지 않았습니다!"

"허튼 소리 마! 이제 와서 무슨 말을 해도 이미 늦었어. 지금 너희 패거리는 어디 있지?"

"무슨 말씀인지⋯⋯."

"그날 밤 조씨 댁을 약탈했던 놈들 말이야."

"그놈들은 저를 부르러 오지 않았습니다. 제놈들끼리 멋대로 들고 나간 것입니다.”

아Q는 이렇게 말하고는 투덜거렸다.

“어디로 달아났지? 사실대로 말하면 너를 석방해 주겠다.”

노인은 여전히 부드럽게 말했다.

“전 모릅니다……. 그놈들은 제게 말도 없이…….”

노인이 한 번 눈짓을 하자 아Q는 또다시 유치장 문 안에 처넣어졌다. 그가 두 번째로 창살 문 밖으로 끌려 나온 것은 이튿날 오전이었다.

대청 안의 모습은 모두 전과 같았다. 상좌에는 여전히 머리를 빡빡 깎은 노인이 앉아 있었다. 아Q도 어제와 마찬가지로 꿇어앉았다.

노인이 부드럽게 물었다.

“그래, 더 할 말은 없는가?”

아Q는 생각해 보았으나 별로 할 말도 없었으므로,

“없습니다.”

하고 대답했다.

그러자 긴 두루마기를 입은 사람 중 하나가 종이 한 장과 붓 한 자루를 가지고 와서 아Q 앞에 들이댔다. 그는 붓을 아Q의 손에 쥐어주려고 했다.

아Q는 이 때 깜짝 놀라 기절할 뻔했다. 왜냐하면 그가 붓을 잡아 보기는 이번이 처음이었기 때문이다. 그는 붓을 어떻게 쥐는지도 몰랐다. 그런데 그 사람은 또 한 군데를 가리키며 그에게 서명하라고 했다.

“저……. 저는……. 글을 쓸 줄 모르는데요.”

아Q는 붓을 덥석 움켜쥐고는 황송하고 부끄러운 듯이 말했다.

“그러면, 너 좋은 대로 동그라미를 하나 그려라!”

아Q는 동그라미를 그리려고 했으나 붓을 잡고 있는 손이 부들부들 떨릴 뿐이었다. 그러자 그 사람은 아Q를 위해 종이를 땅 위에 깔아 주었다. 아Q는 엎드린 채 있는 힘을 다해 동그라미를 그렸다.

그는 남들에게 웃음거리가 될까 봐 어떻게든 동그랗게 잘 그리려고 마음먹었으나, 빌어먹을 붓이 지나치게 무거운데다 말을 잘 듣지 않는 것이었다. 아Q가 떨리는 손으로 간신히 동그라미를 거의 마무리해 갈 때, 붓이 위로 솟구쳐 수박씨 모양이 되고 말았다.

아Q는 자기가 동그랗게 그리지 못한 것을 부끄럽게 생각했다. 하지만 그 사람은 그것을 문제 삼지 않고, 재빨리 종이와 붓을 가지고 가 버렸다. 그는 다시금 세 번째로 창살 문 안으로 집어넣어졌다.

아Q는 다시 창살 문 안으로 들어갔어도 그리 괴로워하지 않았다. 그의 생각으로는 사람이 이 세상에 태어난 이상 때로는 감옥에 들어가는 일도 생길 것이고, 또 종이 위에 동그라미를 그려야 할 때도 있는 것이다. 다만 동그라미가 동그랗게 그려지지 않은 것만은 아무래도 하나의 오점이라고 생각했다.

그러나 오래지 않아 그것도 별로 거리끼지 않게 되었다. 멍청이가 아니면 동그라미를 제대로 그릴 수 없을 것이라고 생각했다. 그래서 곧 잠이 들고 말았다.

그러나 이날 밤, 거인 영감은 잠을 잘 수가 없었다. 대장과 말다툼을 했기 때문이다. 거인 영감은 잃어버린 물건을 찾는 것이 더 급하다고 주장했고, 경비대장은 죄인을 본보기로 징계하는 일이 더 급하다고 주장했다.

대장은 요즘 거인 영감쯤은 거의 안중에도 없었으므로, 책상을 탁탁 치면서 신경질적으로 말했다.

"한 사람을 벌하여 여러 사람을 훈계하자는 거요. 보십시오! 내가 혁명당이 된 지 20일도 안 되었는데, 약탈 사건은 10여 건에 이르고 사건도 모두 미궁에 빠져 있소. 도대체 내 체면은 무엇이 된단 말이오?

기껏 범인을 잡아놓으면 당신은 또 엉뚱한 소리나 늘어놓고, 안 돼요! 이건 내 권한이니까!"

거인 영감은 매우 난처했다. 그래도 자기 주장을 견지하여, 만약 장물을 찾아 내지 않으면 자기는 즉각 민정을 담당하는 이 직무를 사임하겠다고 말했다.

그러나 대장은 태연하게 말했다.

"마음대로 하슈!"

그래서 그날 밤, 거인 영감은 잠을 이루지 못한 것이다. 그렇다고 다음 날 사임하지도 않았다.

아Q가 유치장에서 세 번째로 끌려 나온 것은 거인 영감이 한잠도 자지 못한 다음 날 오전이었다. 그가 대청으로 끌려 나와 보니, 정면에는 역시 그 머리를 빡빡 깎은 노인이 앉아 있었다. 아Q도 역시 전처럼 꿇어앉았다.

노인은 아주 부드럽게 물었다.

"그래, 무슨 할 말이 없느냐?"

아Q는 생각해 보았지만 특별히 할 말이 없었다.

"없습니다."

그러자 긴 두루마기를 입은 사람들과 짧은 옷을 입은 사람들이 별안간 그에게 무명으로 된 흰 옷을 입혔다. 거기에는 무슨 검은 글자가 씌어 있었다. 아Q는 몹시 기분이 나빴다. 왜냐하면 그것은 마치 상복을 입는 것 같았으며, 상복을 입는다는 것은 아무래도 불행한 일이었기 때문이다. 그와 동시에 그의 양손은 뒤로 묶여졌고, 그는 곧장 관청 밖으로 끌려 나왔다.

아Q는 포장 없는 수레에 태워졌다. 짧은 옷을 입은 몇 사람이 그와 함께 같은 자리에 앉았다. 수레는 곧 움직이기 시작했다. 전방에는 총을

멘 군인들과 자경단원들이 있었고, 양쪽엔 멍하니 입을 벌린 구경꾼들
이 있었다. 뒤는 어떠한지 아Q는 돌아보지 않았다.

이 때 그는 갑자기 깨달았다.

'혹시 목을 잘리러 가는 것이 아닐까?'

그렇게 생각하니 갑자기 눈앞이 캄캄해지고 귓속이 윙윙거려 금방이
라도 정신을 잃을 것 같았다.

하지만 그는 완전히 정신을 잃지는 않았다. 이따금 허둥거리기도 했
으나 그는 곧 태연해졌다. 그는 사람이 세상에 태어나서 살다 보면, 때
에 따라서는 목을 잘리는 경우도 있으리라고 생각했다.

아Q는 형장으로 가는 길을 알고 있었다. 그러나 수레는 형장 쪽으로
가지 않았다. 어째서 형장 쪽으로 가지 않는 것일까? 그는 이것이 조리
돌림(본보기로 거리에 끌고 다니는 형벌)이라는 것은 전혀 알지 못했다.

설령 알았다 해도 마찬가지였을 것이다. 그는 사람이 살다 보면 때로는
조리돌림을 당할 수도 있다고 생각했을 테니까.

그는 문득 깨달았다.

'이것은 멀리 돌아서 형장으로 가는 길이다. 댕강 하고 목이 잘릴 것
임에 틀림없다.'

그는 얼빠진 사람처럼 주위를 멍하니 둘러보았다. 수많은 사람들이
개미 떼처럼 뒤따르고 있었다.

뜻밖에도 길가의 무리들 속에서 오마의 모습을 발견했다. 정말 오래
간만이다. 그녀는 성 안에서 일하고 있었던 것이다. 아Q는 갑자기 자기
가 배짱이 없어 노래 한 곡도 부르지 못한 것이 퍽 부끄럽게 느껴졌다.

그의 생각은 마치 회오리바람처럼 머릿속을 선회했다. '청상 과부의
성묘'는 당당하지가 못하고, '용호상쟁' 중의 '후회해도 소용없다'는

힘차지 않다. 역시 '고들개 철편을 들고 네놈을 치리'로 하자. 그는 손을 쳐들려고 하다가 비로소 자신의 양손이 묶여 있음을 상기했다. 그래서 '고들개 철편을 들고 네놈을 치리'도 부르지 않았다.

"20년만 지나면 다시 태어나……."

아Q는 이것저것 생각하던 중에도 이제까지 한 번도 입에 담아본 적이 없는, 틀에 박힌 사형수의 문구가 저절로 입에서 튀어나왔다.

"잘한다!"

군중 속에서 이리의 울부짖음 같은 소리가 들려왔다.

수레는 쉬지 않고 앞으로 나아갔다. 아Q는 박수 소리를 들으며 눈알을 굴려 오마를 바라보았으나, 그녀는 조금도 그에게 신경을 쓰지 않고, 그저 군인들이 메고 있는 총만 정신없이 바라보고 있었다.

그래서 아Q는 다시 손뼉치는 사람들을 죽 둘러보았다. 그 순간 그의 생각은 또 회오리바람처럼 머릿속을 선회했다.

4년 전, 그는 산기슭에서 굶주린 이리 한 마리를 만났었다. 이리는 멀지도 가깝지도 않은 거리에서 어디까지나 그의 뒤를 따라와 그를 잡아먹으려고 했다. 그 때 그는 정말 무서워서 죽을 것만 같았다. 다행히 그는 손에 도끼 한 자루를 들고 있었으므로, 그것을 믿고 간신히 미장으로 돌아왔다. 그러나 그 이리의 눈빛은 영원히 기억에 남아 있다. 그것은 불길하고도 무서웠다. 번쩍번쩍 도깨비불처럼 빛나는 두 눈은 멀리서 그의 육체를 꿰뚫을 것만 같았다.

그런데 그는 또 여태껏 보지 못했던 더욱 무서운 눈동자를 본 것이다. 그것은 둔하고 날카로워 벌써 그의 말을 씹어 먹었을 뿐 아니라, 그의 육체 이외의 무엇인가를 씹어 먹으려는 듯 멀지도 가깝지도 않은 거리에서 뒤따라오는 것이었다.

그 눈동자들은 한 덩어리가 되어 그의 영혼을 물어뜯고 있었다.

"사람 살려……."

그러나 아Q는 그 말을 입 밖으로 내지는 않았다. 그는 벌써부터 두 눈이 캄캄해지고 귓속이 윙윙거려, 마치 전신이 조각조각 흩어지는 듯한 느낌이 들었다.

그 당시 가장 큰 피해를 입은 사람은 오히려 거인 영감이었을 것이다. 끝내 잃어버린 물건을 되찾지 못했으므로 그의 집안은 온통 울음바다가 되었다.

그 다음은 조씨 집이었다. 수재가 성안으로 고소하러 갔다가 악질 혁명당원에게 걸려 변발을 잘렸을 뿐 아니라, 20냥의 상금까지 뜯겼기 때문이다. 이날부터 그들에게선 점점 망한 왕조의 유신(중국인이면서 만주인의 청조에 충절을 지키는 것을 풍자함)다운 냄새가 풍겨나기 시작했다.

그런데 일반적인 여론에 의하면, 미장에서는 별다른 이의도 없었고, 모두들 아Q가 나쁘다고 말했다.

"총살당한 것은 그가 나빴다는 증거야! 나쁘지 않았다면 무엇 때문에 총살을 당한단 말인가?"

그러나 성안의 여론은 별로 좋지 않았다. 그들의 대부분은 불만을 품고 있었다.

"총살은 목을 자르는 것만큼 볼만한 것은 못 되더군. 더구나 그렇게 변변찮은 사형수가 세상에 어디 있겠는가! 그렇게 오래도록 거리를 끌려 다니면서도 끝내 노래 한 곡조 안 부르다니, 구경꾼들만 헛걸음 했지 뭐야!"

광인 일기

지금은 그 이름을 밝힐 수 없지만, 모군 형제는 모두 나의 중학 시절의 친구들이다. 여러 해 떨어져 지내는 동안, 점차 소식마저 뜸하게 되었다.

얼마 전에 우연히 그 중 한 친구가 중병을 앓고 있다는 소식을 들었다. 마침 고향에 다녀오려던 참이라 길을 돌아서 찾아가 한 사람을 만나게 되었는데, 병을 앓는 이는 그의 동생이라고 했다.

일부러 먼길을 와 주어서 고맙지만, 동생은 벌써 완쾌되어서 어느 곳에 가서 후보로 부임 중이라고 했다. 그는 껄껄 웃으면서 내게 일기장 두 권을 꺼내 주었다.

"이걸 보게. 당시의 병상을 알 수 있을 걸세. 자네는 옛 친구이니 주어도 상관 없을 테지?"

그것을 가지고 와서 읽어 보고는, 대충 그 병이 '피해망상증'의 일종임을 알았다. 내용이 아주 지리멸렬하며, 줄거리와 순서가 없고, 모두 황당한 이야기뿐이었다.

날짜는 적혀 있지 않았으나 먹빛이나 글자체가 다른 것으로 보아 한 꺼번에 쓴 것이 아님은 분명했다. 그 중에 간혹 문맥이 닿는 곳이 있기에 여기 한 편을 뽑아 내어 의학자들의 연구 재료로 제공하고자 한다.

일기 가운데 틀린 말이 있어도 한 글자도 정정하지 않았다. 다만 모두가 한 마을 사람들이므로(그들 모두 유명하지도 않고 무슨 문제가 생길 일도 없지만) 인명만은 가명을 사용했다. 또 책 제목은 본인이 완쾌된 뒤에 붙인 것이므로 그대로 두었다.

민국 7년(1918년) 4월 2일

1

오늘 밤은 달이 참 밝다.

나는 벌써 30년 동안이나 달을 보지 못했다. 오늘 저 달을 보니 기분이 정말 좋다. 나는 지난 30년간을 혼미한 상태에서 살아 왔음을 이제야 알게 됐다. 하지만 이제 정신을 바짝 차리지 않으면 안 된다. 그런데 저 조씨네 집 개는 왜 나를 흘끗흘끗 쳐다보는 것일까?

물론 내가 저 개를 무서워하는 것은 결코 아니다.

2

오늘은 전혀 달이 보이지 않았다. 이젠 안 되겠다고 생각하여 나는 아침에 조심스레 집을 나왔다.

아니나 다를까, 조귀 노인의 눈빛이 이상하다. 나를 무서워하고 있는 것 같기도 하고, 나를 해치려는 것 같기도 하다. 그 밖에도 소곤소곤 얼굴을 맞대고 귀엣말로 내 험담을 하는 놈들이 7, 8명은 더 있다. 그러면서도 그놈들은 내게 들킬까 봐 두려워하고 있는 것이다.

거리에서 만난 사람들 대부분이 다 그렇다. 그중에서도 제일 험상궂게 생긴 놈이 큰 입을 쩍 벌리고 나를 향해 껄껄껄 웃어 댔다. 나는 머리끝에서 발끝까지 소름이 쫘악 끼쳤다. 나는 '놈들이 벌써 준비를 끝냈구나' 하고 생각했다.

그러나 나는 두려워하지 않고 여전히 걷던 길을 걸어갔다. 저쪽에는 아이들이 모여 있었는데, 이놈들도 모두 내 욕을 하고 있었다. 눈초리는 조귀 노인과 같았고 얼굴빛도 푸르죽죽했다. 아이들까지 무슨 원한이 있어 내게 이러는 걸까, 하고 생각하니 분통을 참을 수가 없었다. 그래서 큰 소리로 '이놈들아, 뭐가 어째!' 하고 호통을 쳐 주었다. 그러자 아이들은 모두 달아나 버렸다.

조귀 노인은 내게 무슨 원한이 있는 것일까? 또 길에서 만난 사람들은 내게 무슨 원한이 있는 것일까? 굳이 찾아보면, 20년 전에 고구 선생의 낡은 출납부를 밟아서 그가 인상을 찡그리게 한 것이 전부였다.

조귀 노인이 고구 선생의 친구는 아닐 테지만, 아마 그 소문을 듣고 내게 분개한 것이리라. 그래서 마을 사람들을 부추겨 나를 미워하도록 꼬드긴 것이리라. 그렇다면 아이들은?

아이들로 말하자면 그 당시엔 태어나지도 않았을 것이다. 그런데 어째서 그들까지도 나를 이상한 눈길로 노려보고 있는가? 무서워하는 듯하면서, 한편으로는 없애 버리려는 듯한 눈초리로 말이다.

이것이야말로 정말 무서운 일이다. 참으로 이상야릇한 일이며, 슬픈 일이 아닐 수 없다.

그렇다, 이젠 알겠다. 그것은 모두 그들 부모가 가르친 탓이다.

3

밤이다. 아무리 애를 써도 잠이 오지 않는다. 무슨 일이든 깊이 생각해 보지 않으면 제대로 알지 못하는 법이다.

그들 중에는 현장에게 걸려서 칼을 쓴 놈도 있고, 두목에게 뺨을 맞은 놈도 있다. 또 말단 관리에게 계집을 빼앗긴 놈도 있으며, 부모가 빚쟁이에게 시달려 죽은 놈도 있다. 그러나 그 당시에도 놈들의 표정은 어제처럼 무섭고 처참하지는 않았다.

그 중에서 가장 이상한 것은 어제 길거리에서 만난 그 여자다. 여자는 제 자식을 때리면서 '빌어먹을 아비란 놈! 난 네놈을 물어뜯어야 분이 풀리겠다.' 라고 소리를 질렀다. 그러면서도 여자의 눈은 나에게로 향하고 있었다. 나는 깜짝 놀라 당황하고 말았다. 그러자 시퍼런 얼굴에 이빨을 드러낸 녀석들이 '와아' 웃어 대기 시작했다. 진노오(머슴 이름)가 급히 달려와서 억지로 나를 끌고 집으로 돌려보냈다.

집으로 끌려오자 집안 사람들이 모두 나를 외면했는데, 그들의 눈초리도 다른 녀석들과 마찬가지였다.

내가 서재로 들어갔더니 밖에서 자물쇠를 걸어 버렸다. 마치 닭이나 오리라도 가두는 것처럼. 그러자 나는 더욱 놈들이 하는 짓을 이해할 수 없게 되었다.

며칠 전 낭자촌에 사는 한 소작인이 흉년을 호소하러 왔다가 형에게 이런 이야기를 했다. 그들 마을에 아주 못된 놈이 있어서 사람들에게 맞아 죽었는데, 그들 중에는 담이 커진다고 하여 그놈의 간을 꺼내어 기름에 볶아 먹은 놈이 있다고 했다.

내가 옆에서 말참견을 했더니 소작인과 형이 나를 말없이 노려보았다. 나는 오늘에야 그들의 눈초리가 마을에 있는 녀석들의 눈초리와 똑같다는 사실을 알았다. 생각만 해도 온몸이 오싹해진다.

놈들은 사람을 먹어치운다. 그들이 나를 잡아먹지 않는다는 보장은 어디에도 없다. 그렇다, 그 여자가 '네놈을 물어뜯겠다' 고 한 말이나, 퍼런 얼굴에 이빨을 드러낸 놈들의 웃음이나, 엊그제 소작인이 지껄인 이야기는 분명 암호였던 것이다.

그들이 하는 이야기에는 독이 가득 차 있고 웃음 속에는 칼이 숨어 있다. 놈들의 이빨은 모두 희고 뾰족뾰족했는데, 그것이 바로 사람을 잡아먹는 도구인 것이다.

나는 나 자신을 나쁜 놈이라고 생각지는 않지만 고가의 장부를 밟은 뒤로는 그렇게 말할 수도 있을 것이다. 놈들에게는 무슨 생각이 있는 모양이지만 나로서는 전혀 알 수가 없다. 더구나 놈들은 서로 사이가 나빠지면 금세 상대방을 못된 놈이라고 욕하곤 하는 것이다.

나는 지금도 기억하고 있는데, 형이 내게 논문(관리 등용 시험에 '책론'이라 하여 학술 논문과 정치 논문을 쓰는 과목이 있었음) 쓰는 법을 가르쳐 줄 때, 아무리 착한 사람이라도 조금 헐뜯어 주면 관주를 많이 준다고 했다. 또 악한 사람을 변호하는 문구를 넣으면 '기상천외', '독창적' 운운하면서 칭찬해 준다고 했다.

놈들이 대체 무슨 생각을 하고 있는지 내가 어찌 알 수 있으랴! 더구나 사람을 잡아먹으려고 덤빌 때에는.

무슨 일이든지 연구해 보지 않으면 알기 힘든 법이다. 옛날부터 사람을 잡아먹는 일이 그리 드문 일이 아니었다는 것을 나는 알고 있지만, 그리 확실치는 않다. 그래서 나는 역사책을 들추어 조사해 보았다. 그러나 역사책에는 연대가 없고 각 페이지마다 '인의도덕' 같은 글자들이 꾸불꾸불 적혀 있다.

나는 어차피 잠이 들기는 다 글렀다고 생각하고 밤새도록 자세히 조사해 보았다. 그랬더니 글자와 글자 사이에서 겨우 또 다른 글자가 보이기 시작했다. 책에는 온통 '식인'이라는 두 글자가 적혀 있었다. 책장마다 이토록 많이 씌어 있고, 또 소작인도 그렇게 많이 지껄였으며, 모두 히죽히죽 웃으면서 나를 흘겨보지 않았는가. 나도 인간이다. 놈들은 내가 먹고 싶어진 것이다.

4

아침에 나는 한동안 정좌를 했다. 진노오가 밥을 들고 왔다. 차 한 잔과 나물 한 접시, 생선찜 한 접시. 그 생선의 눈깔은 희고 단단했는데, 입을 쩍 벌리고 있는 꼴이 사람을 잡아먹으려는 그놈들과 흡사했다. 젓가락을 조금 대어 보았으나 미끌미끌해서 생선인지 사람인지 분간할 수가 없었다. 하는 수 없이 뱃속의 것을 모조리 토해내고 말았다.

"노오, 형한테 좀 말해 줘. 갑갑해서 견딜 수가 없으니까, 뜰을 거닐게 해 달라고 말이야."

그러나 노오란 놈은 대답도 하지 않고 나가 버렸는데, 한참 후에 다시 와서 문을 열어 주었다.

나는 꼼짝도 하지 않았다. 놈들이 나를 어떻게 처리할 것인지 두고 보기로 했다. 아무튼 나는 그들이 나를 자유롭게 놔둘 리가 없다는 것을 잘 알고 있다. 그러면 그렇지! 형이 늙은이 한 사람을 데리고 들어왔다. 정말 기분 나쁜 눈빛을 한 늙은이다. 게다가 자신의 눈빛을 들킬까 봐 눈을 아래로 내리깔고 있지 않은가. 땅을 내려다보면서 안경 너머로 흘금흘금 내 태도를 살핀다.

"오늘은 몸 상태가 좋은 것 같구나."

형이 말했다. 나는,

"그렇습니다."

하고 대답했다.

형이 다시,

"오늘은 하 선생에게 진찰을 받도록 해라."

고 하기에,

"알겠습니다."
하고 대답을 했다.

하지만 나는 이 늙은이가 망나니가 둔갑한 것이라는 것쯤은 다 알고 있다. 늙은이는 맥을 본다는 핑계로 내 살집이 어떤가를 살펴 보려는 것이다. 그 공로로 자기도 고기 한 점 정도는 얻어먹을 수 있겠지.

그러나 나는 조금도 무섭지 않았다. 사람을 잡아먹지는 않지만 놈들보다 간은 더 크니까.

나는 두 주먹을 불쑥 내밀고 놈이 하는 행동을 지켜보았다. 늙은이는 눈을 감고 걸상에 앉아 한참 동안이나 내 몸을 만지며 꿈지럭거렸다. 그런 다음 그 기분 나쁜 눈을 뜨고 말했다.

"이것저것 신경쓰지 말고, 며칠 동안 정양을 하면 곧 완쾌될 겁니다."

이것저것 신경쓰지 말고 정양하라고! 물론 정양해서 살이 오르면 놈들은 그만큼 더 많이 먹게 되겠지. 하지만 그게 나에게 무슨 이익이 되는가. 도대체 뭐가 완쾌된다는 거지?

놈들은 사람을 잡아먹고 싶어하면서도 이상하게 망설인다. 그들은 남들 눈을 속여 음흉하게 감추려 들기 때문에 과감히 덤벼들지 못하고 있는 것이다. 정말 우스꽝스러운 놈들이다.

나는 웃음을 참을 수가 없어 큰 소리로 웃어 주었더니 기분이 한결 좋아졌다. 내 웃음 속에는 용기와 정의감이 충만해 있다는 것을 느낄 수 있었다. 늙은이와 형은 내 용기와 정의감에 압도되어 그만 얼굴빛이 변하고 말았다.

하지만 놈들은 내게 용기가 있으면 있을수록 더욱더 나를 먹고 싶어한다. 그 용기를 닮고 싶은 것이다. 늙은이는 방을 나가면서 이내 작은 소리로 형에게 속삭였다.

"빨리 먹어치우도록 하세요(약을 마시라고 한 말)."

형도 그럴 생각이었던지 고개를 끄덕였다.

형, 당신도 이자들과 한패였구려. 이 일대 발견은 의외의 일 같지만, 실은 의외가 아니었어. 패거리들과 한패가 되어 나를 잡아먹으려는 사람이 바로 내 형인 것이다! 그리고 나는 사람을 잡아먹는 자의 동생인 것이다. 내가 잡아먹히더라도 여전히 나는 사람을 잡아먹는 자의 동생임에는 틀림이 없다.

5

요 며칠 사이 나는 한 걸음 물러나서 생각해 보았다.

가령 그 늙은이가 망나니의 화신이 아니고 진짜 의사라 하더라도 사람을 잡아먹는 사람임에는 틀림이 없다. 그들이 제일로 치는 선생인 이시진(명대의 학자로 《본초강목》 등의 저서를 남겼다)의 《본초××》라는 책에도 '사람의 고기를 구워 먹는다'는 대목이 분명히 있지 않은가. 이래도 자기는 사람을 먹지 않는다고 말할 것인가.

형에게도 역시 뚜렷한 증거가 있다. 그는 내게 글을 가르칠 때 분명히 자기 입으로 '자식을 바꿔 잡아먹을 수 있다(초의 구대가 송을 포위했을 때, 굶주린 송나라 사람들이 차마 자기 아이들을 먹을 수 없어 남의 아이와 바꾸어 먹었다는 얘기)'고 했던 것이다.

또 한 번은 우연히 어느 악인에 대해 의논하다가 '그놈을 죽이는 것은 당연한 일이며, 그 고기를 먹고 가죽 위에서 자야 한다(진의 주작이 한 말로, 상대를 극도로 증오할 때 쓰는 표현)'라고 말한 적도 있다.

그 당시 나는 아직 어렸기 때문에 종일토록 가슴이 두근거렸다. 이것만 보더라도 옛날과 마찬가지로 사람의 마음이 얼마나 잔인한지를 알수 있다. '자식을 바꿔 잡아먹는' 일이 가능하다면 바꿀 수 없는 것은 아무것도 없다. 누구든 다 잡아먹을 수 있는 것이다. 며칠 전, 낭자촌의 소작인이 와서 간을 먹었다는 말을 했을 때에도 형은 연방 고개를 끄덕이고 있었다.

나는 예전에는 그런 이야기를 그냥 멍청히 흘려들었다. 그러나 지금 생각해 보면, 놈이 꼭 그런 이야기를 할 때에는 입가에 사람의 기름을 칠하고 있었을 뿐만 아니라, 사람을 먹고 싶다는 욕망으로 가득 차 있었던 것이다.

6

캄캄해서 낮인지 밤인지 분간할 수가 없다. 조가네 개가 또 짖기 시작한다. 호랑이 같은 사악한 마음, 토끼의 비겁함, 여우의 교활함!

7

나는 놈들의 수법을 알아냈다. 직접 죽이고 싶진 않고, 또 그렇게 할 수도 없다. 후환이 두렵기 때문이다. 그래서 그들은 서로 연락을 취하고 함정을 파서, 내가 자살하게끔 만들고 있는 것이다.

며칠 전 길거리에서 본 사내와 계집의 태도나 최근 형의 거동을 보더라도 이 사실은 거의 틀림없다.

그들은 내가 스스로 허리띠를 풀어 대들보에 목매달아 죽어 버리기를 바라겠지. 그러면 놈들은 살인이라는 죄명을 쓰지 않고도 소원을 이룰 수 있는 것이다.

그들은 아마 미칠 듯이 기뻐서 '우우' 하고 울음소리 같은 웃음을 웃게 되겠지. 이 방법이 아니면 두려움과 걱정 때문에 죽는 것이 좋을 것이다. 그러면 살은 좀 빠지겠지만 그런 대로 그들은 만족할 것이다. 하지만 그들은 죽은 고기밖에는 먹을 수가 없다.

언젠가 책에서 '하이에나'라는 동물에 대해 읽은 적이 있다. 눈매가 사납고 몰골도 추악한 이 동물은 늘 죽은 고기만을 먹으며, 아무리 굵은 뼈라도 아작아작 깨물어 삼켜 버린다고 한다. 생각만 해도 끔찍하다.

하이에나는 늑대의 친척이며, 늑대는 개의 조상이다. 엊그제 조가네 개가 나를 유심히 노려본 것도, 그놈 역시 한패거리여서 미리 연락이 닿았기 때문인 것으로 짐작된다. 늙은이도 눈을 내리깐 채 땅만 쳐다보았지만, 속아넘어갈 내가 아니다.

누구보다도 가장 딱한 것은 형이다. 그도 사람인데, 어째서 무서워하지 않는 것인가? 더구나 한패거리가 되어 날 잡아먹으려는 계획을 꾸미다니! 너무 익숙해져서 그것이 나쁜 일이란 걸 모르는 것일까? 아니면 양심을 잃어버렸기 때문에 나쁜 줄 알면서도 그러는 걸까?

내가 만일 사람을 잡아먹는 자를 저주한다면 제일 먼저 형부터 저주하리라. 사람을 잡아먹는 인간을 회개시키더라도 형부터 시작해야겠다.

8

하지만 이러한 이치는 지금쯤은 놈들도 깨닫고 있어야 할 것이다.

느닷없이 한 청년이 찾아왔다. 나이는 고작 스물 안팎, 얼굴은 확실치 않았지만 나를 보고 싱글싱글하면서 고개를 숙였다. 그러나 어쩐지 그 웃음도 진짜 웃음은 아닌 듯했다. 나는 그에게 물었다.

"사람을 잡아먹는 것이 옳은가?"

그 청년은 여전히 싱글거리면서 대답했다.

"흉년도 아닌데, 사람을 잡아먹다니요?"

나는 곧 깨달았다. 이놈도 한패여서 사람을 잡아먹고 싶어하는 것이다. 용기백배해진 나는 끝까지 물고늘어졌다.

"그래, 사람을 잡아먹는 것이 옳은가?"

"그런 걸 물어서 어쩌시려고요? 참, 농담도 잘 하십니다. 오늘은 날씨가 좋군요."

날씨도 좋고 달도 밝다. 그러나 나는 지금 네게 질문을 하고 있는 것이다.

"정말 옳은가?"

그는 그렇다고 말하지 않았다. 애매한 말투로 '아니……' 라고만 대답했다.

"아니라고? 그런데 그놈들은 어째서 잡아먹지?"

"설마, 그런 일이……"

"설마라고? 낭자촌에서는 지금도 사람을 잡아먹고 있어. 또 책에도 그렇게 씌어 있고. 온통 새빨간 피투성이라고."

순간 그의 얼굴이 납빛으로 변했다. 그는 두 눈을 부릅뜨며 말했다.

"물론 그런 일이 있을지도 모르지요. 옛날부터 그래 왔으니까……"

"옛날부터 그래 왔으면 다 옳단 말이냐?"

"전 더 이상 그런 얘기는 하고 싶지 않아요. 아무튼 당신도 그런 말을 해선 안 됩니다. 그래도 말한다면 그건 모두 당신 잘못이라고요."

나는 자리에서 벌떡 일어났다. 눈을 부릅뜨고 노려보았으나, 그자는 이미 사라지고 없었다. 온몸이 땀으로 후줄근하게 젖어 있었다. 그놈은 내 형보다 훨씬 어린데도 벌써 한패거리가 되어 있었다. 아마 그놈의 부모가 가르쳐 주었는지도 모른다. 그런 다음 그놈이 다시 제 자식에게 가르쳐 주고……. 그러니까 아이들까지도 나를 그런 눈으로 보는 것이다.

9

그들은 자신은 사람을 잡아먹으려고 하면서도, 남에게 잡아먹히는 것은 두려워한다. 그래서 모두 의심을 품고 상대방을 흘끗흘끗 훔쳐보고 있는 것이다.

이런 생각에서 벗어나 마음 편히 일하고, 길거리를 활보하고, 밥을 먹고 잠을 자면 얼마나 행복할까? 그것은 겨우 문지방 하나, 고개 하나를 넘어서면 되는 일이다.

그러나 놈들은 부자, 형제, 부부, 친구, 사제, 원수, 그리고 모르는 사람들까지 한패거리가 되어 서로 격려하고 견제하며, 죽어도 이 한 걸음을 넘어서려 하지 않는 것이다.

10

나는 아침 일찍 형을 만나러 갔다. 형은 방문 앞에 서서 하늘을 바라보고 있었다. 나는 형의 뒤로 다가가 문을 가로막고 서서 아주 부드럽게 말을 꺼냈다.

"형님, 말씀드릴 게 있습니다."

"그래, 말해 보렴."

형은 뒤돌아보며 고개를 끄덕였다.

"별것도 아닌데, 말이 잘 안 나오는군요. 형님, 옛날에 인간이 야만인이었던 시절에는 다들 사람을 잡아먹었던 모양이에요. 나중에 생각이 바뀌어서 어떤 자는 사람을 먹으려 하지 않았어요. 그리하여 참다운 사람이 되었죠. 한데 어떤 사람은 계속 사람을 잡아먹어서…… 이

얘기는 벌레들의 이야기와 마찬가지죠. 어느 것은 물고기, 새, 원숭이 같은 것으로 변했다가, 마침내는 사람으로 변한 것도 있고, 또 어떤 것은 착해지려고 하지 않았기 때문에 여전히 벌레로 남아 있는 겁니다. 사람을 잡아먹는 인간은 그렇지 않은 인간에 비해 몹시 부끄러움을 느끼겠지요. 이것은 벌레가 원숭이에게 부끄러움을 느끼는 것보다 훨씬 더할 거예요. 역아(제나라 사람으로 요리의 명인)가 제 자식을 삶아 걸주(하의 걸왕과 은의 주왕. 둘 다 폭군)에게 먹인 이야기는 먼 옛날 일입니다. 그런데 사실은 반고(중국 고대 신화에 나오는 천지 창조자)가 천지를 연 이래, 역아의 아들에 이르기까지 계속 사람을 잡아먹다가 서석림(청말의 혁명가 서석린)에 이르고, 다시 낭자촌에서 붙잡힌 사내까지 잡아먹고 있는 실정입니다. 지난 해 성 안에서 죄수가 처형되었을 때에는 폐병 환자가 그 죄인의 피를 만두에 적셔 먹었습니다(사람의 피를 먹으면 폐병이 낫는다는 미신에서 비롯됨). 그들은 이번에는 나를 잡아먹으려고 합니다. 물론 형님 혼자서는 어떻게 해볼 도리가 없겠지요. 그렇다고 해서 그 패거리에 가담할 필요는 없지 않습니까? 사람 고기를 먹는 자들이 무슨 짓인들 못하겠습니까? 그놈들은 나를 잡아먹은 다음에 형님도 잡아먹을 것입니다. 나중에는 한 패끼리도 서로 잡아먹을 것입니다. 하지만 한 발만 방향을 바꾼다면, 즉 지금 당장 마음을 고쳐먹기만 한다면 모두가 평화롭게 됩니다. 옛날부터 그랬는지 모르지만, 오늘부터라도 전력을 다해야 된다고 생각합니다. 형님은 그렇게 하실 수 있을 겁니다. 전에도 소작인이 도조를 감해 달라고 했을 때 형님은 '안 된다'고 말하지 않았습니까?"

처음부터 형은 그저 냉소를 띠고 있을 뿐이었다. 그러나 이내 눈초리가 험악해지더니, 내가 놈들의 비밀을 들추어 내는 순간 얼굴이 새파래졌다. 문 밖에는 많은 사람들이 서 있었다. 조귀 노인과 그의 개도 있었는데, 그 패들은 주위를 살피면서 대문 안으로 들어왔다.

얼굴을 알아볼 수 없는 놈들도 있었는데, 아마 천으로 가린 모양이다. 어떤 놈은 시퍼런 얼굴에 이빨을 드러내고 히죽히죽 웃고 있었다. 나는 그들이 한패거리로 사람을 잡아먹는 자들이라는 것을 알고 있었다.

하지만 놈들의 생각이 모두 똑같지는 않다는 것도 잘 알고 있다. 그게 어제오늘 그랬던 것도 아니니까. 사람을 잡아먹는 일이 당연하다고 여기는 놈과, 또 잡아먹어서는 안 되는 줄 알면서도 여전히 잡아먹는 놈들 두 종류가 있다. 그들은 내 말을 듣고 더욱 화를 내겠지만, 겉으로는 입을 다물고 냉소하는 수밖에 다른 도리가 없는 것이다.

그 때 형이 갑자기 무서운 얼굴로 소리를 질렀다.

"다들 나가! 미치광이를 구경하는 게 그렇게 재밌어?"

그제서야 나는 그들의 교묘한 수법을 알아차렸다. 그들은 마음을 뜯어고치기는커녕 벌써 함정을 만들어 놓고 있는 것이다. 미치광이라는 이름을 내게 뒤집어씌울 작정인 것이다.

이렇게 해 두면 뒤에 잡아먹어도 후환이 없을 뿐더러, 그들 편이 생길지도 모르니까. 여럿이서 한 명의 악한을 잡아먹었다는 소작인의 이야기도 바로 같은 수법이었던 것이다. 이것은 놈들이 즐겨 사용하는 상투적인 수법이다.

진노오도 화가 나서 달려왔다. 하지만 내 입을 누가 막을 수 있겠는가. 나는 조금도 주저하지 않고 말해 주었다.

"너희들은 생각을 고쳐먹어야 한다. 진심으로 마음을 고쳐야 해. 이제 곧 사람을 잡아먹는 놈들은 세상에 발붙이고 살아갈 수가 없게 된다. 마음을 고쳐먹지 않는다면 자기 자신도 결국 잡아먹히고 말 거야. 자식을 아무리 많이 낳는다 해도 참다운 사람들에게 멸망당하고 말 거라고. 마치 사냥꾼이 늑대를 잡아 없애는 것과 마찬가지로……. 그래, 벌레처럼 말이다."

그 말을 끝내고 보니, 문 밖에 서 있던 놈들은 모두 진노오에게 쫓겨 가고, 형도 어디론가 가 버렸다. 진노오가 나를 달래어 방으로 데리고 들어왔다.

방 안은 캄캄했다. 대들보와 서까래가 머리 위에서 흔들리기 시작했다. 한참을 떨고 있더니 그것은 순식간에 내 위를 덮쳐 눌렀다. 어찌나 무거운지 꼼짝도 할 수가 없었다. 아마도 나를 죽이려는 모양이다. 나는 그 무거운 힘이 속임수라는 것을 알았기 때문에 발버둥치며 빠져 나왔다. 온몸이 땀으로 범벅이 되어 있었다. 하지만 나는 호통을 쳤다.

"이놈들, 지금 당장에 마음을 고쳐먹어라, 알겠나? 이제 사람을 잡아 먹는 인간은 이 세상에 발을 붙일 수 없게 된다……."

11

해도 뜨지 않는다. 방문도 안 열린다. 매일 두 끼의 밥만 들어왔다. 나는 젓가락을 집어들며 형을 생각했다. 그리고는 이내 누이동생이 죽은 이유도 형에게 있음을 알아차렸다. 그 때 누이동생은 겨우 다섯 살이었다. 귀엽고 애처로운 모습이 지금도 눈에 선하다. 어머니는 한없이 우시기만 했다. 그러자 형은 어머니에게 울지 말라고 했다. 양심의 가책을 느꼈던 모양이다. 만일 지금도 안 됐다고 느낀다면…….

누이동생은 형에게 잡아먹히고 만 것이다. 어머니는 알고 계셨을까? 나로서는 알 수가 없다.

하지만 어머니는 아마 알고 계셨으리라. 그러나 울면서도 아무 말씀 없으셨던 것으로 보아, 아마도 당연한 일이라고 생각하셨겠지.

내가 너덧 살 때의 일이라고 기억하는데, 집 앞에서 바람을 쐬고 있으려니까 형이 문득 이런 말을 했다.

"부모가 병들면 자식된 사람은 자기 살을 한 조각 베어서, 그걸 삶아 부모님이 드시게 해야 한다. 그것이 바로 참된 사람의 도리이다."

옆에 계시던 어머니도 '안 된다'고는 말씀하시지 않았다. 한 조각을 먹을 수 있다면 통째로도 먹을 수 있을 것이다. 하지만 그 날 어머니가 울던 모습을 생각하면 지금도 가슴이 아프다. 참으로 이상한 일이다.

12

이제 생각할 수 없게 되었다.

4천 년 동안 계속 사람을 잡아먹어 온 고장에서 내가 오랫동안 살아왔다는 것을 오늘에야 알게 되었다. 형이 집안 살림을 맡자, 누이동생은 죽었다. 그러니 형이 식구들 몰래 음식에 섞어서 우리에게 먹이지 않았다고도 할 수 없다. 나는 나도 모르는 사이에 누이동생의 고기를 몇 점 먹었는지도 모른다. 그리하여 지금 내가 먹힐 차례가 되었는지도…….

4천 년 동안이나 사람을 잡아먹어 온 역사를 짊어지고 있는 나로서는, 처음엔 몰랐으나 이제는 똑똑히 알 수 있다. 참다운 인간을 만나기가 참으로 어렵다는 것을 말이다.

13

한 번도 사람을 잡아먹어.본 적이 없는 아이들이 아직도 어딘가에 남아 있을지도 모른다.

어서 아이들을 구하라…….

(1918년 4월)

공을기

노진에 있는 선술집들의 구조는 다른 고장과는 달랐다. 대개 기역자 모양의 큼지막한 술청이 길을 향해 놓여 있고, 그 안쪽에는 언제든지 술을 데울 수 있는 끓는 물이 준비되어 있었다.

점심때나 저녁 나절이 되면 일을 마친 노동자들은 제각기 동전 네 푼을 털어 술을 한 잔 주문했다.——이것은 20년 전 이야기이고, 지금은 한 잔에 열 푼 가까이 올랐을 것이다——그리고는 술청에 기대어 선 채 따끈하게 데운 술을 들이켜며 피곤을 잊곤 하는 것이다.

만약 한 푼 더 쓸 생각이 있으면, 소금물에 데친 죽순이나 회향두(회향 향로에 삶은 콩) 한 접시를 안주로 먹을 수 있다. 거기서 열 푼만 더 내면 고기 요리를 먹을 수도 있었다.

그러나 이 집 손님들은 대부분 옷도 변변히 차려 입지 못하는 막벌이 꾼들이라 그런 호화스런 씀씀이는 엄두도 못 낸다. 술청 안방으로 들어가 술과 고기를 청해서는 거들먹거리며 먹는 축들은 으레 긴 두루마기를 걸친 손님들이다.

나는 열두 살 때부터 노진 입구에 있는 함형 술집에서 급사 노릇을 했다. 주인은 내가 너무 둔해서 장삼 입은 손님들을 잘 대접하지 못할 터이니 밖에서 심부름이나 하라고 했다.

짧은 옷을 입은 손님들을 대접하기는 쉬웠으나, 그 중에는 군소리를 늘어놓는 까다로운 손님도 적지 않았다. 그들은 곧잘 내가 술독에서 황주(소주에 비해 노란 빛을 띠는 술 이름)를 뜰 때 자기 눈으로 감시해야 직성이 풀렸다. 술병 바닥에 물이 있는가 없는가도 살피고, 또 술병을 뜨거운 물에 넣는 것을 확인해야만 겨우 안심을 했다.

이렇게 엄중한 감시를 받으며 술에 물을 탄다는 것은 그리 쉬운 일이 아니다. 며칠 지나자 주인은 다시 내게 이 일도 안 되겠다고 말했다. 다행히 나를 소개한 사람의 얼굴을 봐서 내쫓지는 못했지만, 술을 데우는 따위의 변변찮은 일만 맡기는 것이었다.

나는 그 뒤로 온종일 술청 안에 서서 나의 직무만을 맡아 보았다. 별로 실수할 일은 없었지만, 무척 단조롭고 지루해서 조금도 흥미가 나지 않았다.

주인은 얼굴을 찡그리고 있었고, 단골 손님들도 퉁명스러웠으므로 나는 늘 우울했다. 다만 공을기가 가게에 나타났을 때에나 약간 웃을 수 있었다. 그래서 아직까지도 그를 기억하고 있는지도 모르겠다.

공을기는 선술 먹는 축으로서는 긴 두루마기를 입고 있는 유일한 사람이었다. 그는 키가 훤칠했고, 창백하면서도 주름진 얼굴에는 언제나 상처 자국이 떠나지 않았다. 턱에는 반백의 수염이 텁수룩하게 자라 있었고, 더러운 장삼은 누더기여서 적어도 10년 이상은 기워 본 일도, 빨아 본 적도 없는 것 같았다.

그런데도 그가 사람들에게 하는 이야기는 전부 문자 투성이라 아무도 알아듣지 못했다. 그는 성이 공이었는데, 사람들은 그를 붓글씨 책에 씌어 있는 '상대인 공을기(이 문구는 석 자씩 한 구를 이루고 있는 듯한데 전체의 뜻은 알기 어렵다)' 라는 알쏭달쏭한 문구에서 별명을 따 가지고 '공을기' 라 부르게 되었다.

공을기가 술집에 오기만 하면 손님들은 모두 그를 놀렸다. 어떤 사람은 큰 소리로 이렇게 외쳤다.

"공을기! 자네 얼굴에 또 새로운 상처가 생겼구먼."

그러면 그는 코대답도 하지 않고 주인을 향해 말했다.

"여기 술 두 잔만 데워 주시오. 회향두 한 접시하고."

이렇게 말하고는 아홉 푼을 내놓는다. 술꾼들은 일부러 큰 소리로 물었다.

"자네, 또 남의 물건을 훔쳤군!"

하고 떠들어 대면 공을기는 눈이 휘둥그레져서 대들었다.

"당신이 뭔데 남의 결벽을 더럽히려는 거요?"

"뭐, 결벽을 더럽혀? 내가 엊그제 이 두 눈으로 똑똑히 봤다고! 자네가 하씨 집 책을 훔치다 들켜서 거꾸로 매달려 맞고 있는 걸 말이야."

그러자 공을기는 얼굴이 빨갛게 되어, 이마에 푸른 힘줄을 세우면서 항변했다.

"책을 훔치는 일은 도둑질이 아냐……. 책을 훔치는 건……. 독서인의 일이야. 그걸 도둑질이라고 할 수는 없지!"

하며 열심히 변명하였다.

그런 다음 알아듣기 힘든 말로 '군자고궁(훌륭한 사람은 어려움에 처해도 결코 자기의 절개를 굽히지 않는다)' 이니, '자호' 니 하는 바람에 사람들은 모두들 껄껄대며 웃음보를 터뜨렸다. 그럴 때면 술집 안팎은 저절로 유쾌한 공기로 가득 찼다.

남들이 뒷구멍에서 수군대는 것에 의하면, 공을기는 본래 글줄이나 읽은 선비였다고 한다. 그러나 어찌 된 일인지 끝내 수재에는 합격하지 못했다. 그의 집안은 갈수록 가난해지고 나중에는 밥을 빌어먹을 정도로 몰락하고 말았다. 다행히 붓글씨는 잘 썼기 때문에 남들에게 책을 베껴 써 주고 근근이 입에 풀칠을 했다.

그러나 유감스럽게도 그에게는 나쁜 버릇이 한 가지 있었다. 그것은 술 마시기를 좋아하고, 일하기는 싫어하는 버릇이었다.

그가 일을 시작했다 하면 며칠이 못 가서 본인은 고사하고 책과 종이, 붓, 벼루에 이르기까지 모두 행방불명이 되고 만다. 그런 일이 몇 차례 되풀이되자 그에게 책을 베껴 달라고 부탁하는 사람도 없어지고 말았다.

공을기는 생활이 궁해지면서 할 수 없이 가끔 도둑질을 하게 되었다. 하지만 그는 우리 술집에서는 다른 사람들보다 품행이 훨씬 점잖아서, 단 한 번도 외상값을 끈 적이 없었다. 간혹 현금이 없어서 며칠 동안 칠판에 이름이 적히는 일도 있었지만, 그것도 한 달을 넘기지는 않았다. 그런 다음 칠판에서는 공을기의 이름이 지워지는 것이다.

공을기가 술을 반 잔쯤 마시는 동안, 붉게 상기되었던 얼굴빛이 점차 본래대로 돌아가자 옆사람이 또 묻는다.

"공을기, 자네 정말 글자를 아나?"

공을기는 묻는 사람의 얼굴을 빤히 쳐다보면서 상대하는 것조차 싫다는 기색을 보인다. 그러면 그들은 계속해서 묻는다.

"그렇다면 자넨 어째서 수재에도 합격하지 못했지?"

그러면 공을기는 별안간 풀이 죽어 어쩔 줄을 몰라했다. 그리고는 입속으로 무슨 소린지 중얼거렸는데, 이번에야말로 온통 문자투성이이므로 조금도 알아들을 수가 없다. 그러면 군중들의 폭소가 다시 터져 나와 술집 안팎은 유쾌한 공기로 가득 찼다.

그런 때에는 나도 따라서 웃었고 주인도 결코 야단치지 않았다. 오히려 주인은 공을기를 볼 때마다 그런 소리를 물어서 사람들을 웃기는 것이었다. 공을기는 자신이 그 사람들과 이야기 상대가 되지 않음을 깨닫고, 아이들을 상대로 말을 걸기 시작한다.

한번은 공을기가 내게 '너, 글을 배운 적이 있니?' 하고 물었다. 내가 고개를 약간 끄덕해 보이자 그는 감탄하며 말했다.

"글을 배웠다고? 그럼, 내가 어디 시험 좀 해 볼까? 회향두의 '회' 자는 어떻게 쓰지?"

그러자 나는 이런 거지 같은 사람도 나를 시험할 자격이 있는가 싶어, 얼굴을 돌리고 상대하지 않았다. 공을기는 한참을 기다리더니 매우 친절하게 말했다.

"쓸 줄 모르지? 내가 가르쳐 주마. 이런 글자는 알아둬야 해. 나중에 가게 주인이 되면 장부를 기록하는 데에도 도움이 될 테니까!"

나는 곰곰이 생각해 보았다. 그러나 주인과 같은 위치가 되려면 너무도 까마득하지 않은가? 게다가 주인이 지금까지 회향두 따위를 장부에 올려 본 일도 없으려니와, 도대체 우습기도 하고 귀찮기도 해서 짜증스럽게 대답해 주었다.

"누가 당신더러 그런 걸 가르쳐 달랬소? 초두 밑에 1회, 2회 할 때 쓰는 회자 아니오?"

공을기는 몹시 유쾌한 듯이, 두 손의 기다란 손톱으로 술청을 두들기며 말했다.

"그래, 그래! 바로 그거야……. 그런데 회자도 쓰는 방법이 네 가지가 된다는 걸 알고 있나?"

나는 더 참을 수가 없어 입을 삐죽 내밀고 멀리 도망가 버렸다.

공을기는 술을 묻힌 손톱으로 술청 위에다 글자를 쓰려고 했다. 그러나 내가 조금도 관심을 보이지 않자, 한숨을 '후우' 내쉬며 몹시 애석하다는 표정을 짓는 것이었다.

몇 번인가 이웃집 아이들이 웃음소리를 듣고 몰려와서는 공을기를 빙둘러쌌다. 그러면 그는 아이들에게 회향두를 한 개씩 나누어 주었다. 아이들은 콩을 다 먹고 나서도 눈으로 접시를 기웃거리며 돌아갈 생각을 하지 않는다. 공을기는 황급히 다섯 손가락을 펴서 접시를 덮고는, 허리를 구부리고 말한다.

"이젠 없다. 얼마 남지 않았어!"

그는 허리를 펴면서 다시 접시 위의 콩을 슬쩍 보고는 고개를 저으며 말한다.

"이젠 없다! 없어! 많은가? 많지 않도다(공자의 말을 인용하여 자기의 학문을 과시함)."

그제서야 아이들도 모두 깔깔거리며 흩어지는 것이다.

공을기는 이처럼 여러 사람을 즐겁게 만들었다. 그러나 그가 없어도 사람들은 별 일 없이 잘 지냈다.

중추절을 2, 3일 앞둔 어느 날이었다. 천천히 장부의 셈을 맞추고 있던 주인이 갑자기 칠판을 내리면서 말했다.

"공을기가 요새 통 안 보이는구나. 아직 외상값이 열아홉 푼이나 남았는데!"

나도 그제서야 그를 꽤 오랫동안 보지 못했다는 생각이 들었다. 그때 술을 마시고 있던 손님이 이렇게 말했다.

"그자가 어떻게 와요? 다리가 부러졌다는데!"

그러자 주인은 놀라서 물었다.

"허! 그래요?"

"그자가 또 도둑질을 했다지 뭐요. 이번에는 제정신이 아니었던지, 정 거인(거인은 과거 첫 단계인 향시의 급제자) 집에 숨어 들어갔다지, 아마. 글쎄, 제가 그 집 물건을 훔칠 수 있을 것 같소?"

"그래, 어찌 되었소?"

"어떻게 됐냐고요? 우선 사죄서를 쓰고 죽도록 두들겨맞았지요. 밤새도록 얻어맞고 나중에는 다리가 부러졌대요."

"그러고는 어떻게 되었나요?"

"다리가 부러졌다니까요."

"다리가 부러진 뒤엔 어떻게 됐어요?"

"어떻게 됐냐고요? ……. 아, 누가 안답니까? 아마 죽었을지도 모르지요."

주인은 더 묻지 않고 다시 천천히 장부 계산을 해 나갔다.

중추절이 지나자 가을 바람이 하루가 다르게 쌀쌀해지면서 초겨울이 성큼 다가왔다. 나는 온종일 화롯가에 있는데도 솜옷을 더 껴입지 않으면 안 되었다.

어느 날 오후, 손님도 없고 해서 눈을 감고 앉아 있는데, '술 한 잔 데워 줘!' 하는 소리가 들렸다.

그 음성은 몹시 낮았지만 귀에 익은 음성이었다. 눈을 뜨고 보았으나 아무도 없었다. 나는 자리에서 벌떡 일어나 밖을 내다보았다. 그랬더니 공을기가 술청 밑에서 문턱을 향해 앉아 있었다.

그의 얼굴은 거무죽죽하고 말라서 꼴이 영 말이 아니었다. 그는 너덜너덜한 겹옷을 입고 책상다리를 한 채, 거적 위에 앉아 있었다. 나를 본 공을기는 다시 한 번 말했다.

"술 한 잔 데워 줘!"

그 때 주인이 머리를 쑥 내밀고 말했다.

"누구? 공을기인가? 자넨 아직도 열아홉 푼의 외상이 남았어!"

공을기는 처량한 표정으로 힘없이 얼굴을 치켜들며 말했다.

"그건……. 이 다음에 갚죠. 대신 오늘은 현금이오. 술은 좋은 걸로 주시오."

주인은 전과 다름없이 웃으면서 그에게 말했다.

"공을기, 자네 또 도둑질을 했다더군!"

하지만 그는 이번에는 별로 변명도 하지 않고 그저 한 마디만 했다.

"거, 농담 마시오!"

"농담이라고? 그럼, 도둑질도 안 했는데 다리는 왜 부러졌나?"

공을기는 낮은 소리로 중얼거렸다.

"넘어졌소, 넘어져서……."

마치 더 이상 묻지 말아 달라고 애원이라도 할 듯한 눈빛이었다. 그 무렵 벌써 모여들기 시작한 사람들이 주인과 함께 웃어 대기 시작했다. 나는 술을 데워 들고 가 문턱 위에 놓아 주었다.

그는 너덜너덜해진 주머니 속에서 동전 네 푼을 꺼내어 내 손에 얹었다. 그의 손은 온통 흙투성이였다. 그는 그 손으로 기어왔던 것이다. 잠시 후 술잔을 비운 그는 사람들이 웃고 떠드는 사이를 다시 그 손으로 기어서 천천히 사라져 갔다.

그 뒤로 다시 오랫동안 공을기를 보지 못했다. 연말이 되자 주인은 칠판을 떼면서 중얼거렸다.

"공을기는 아직도 외상값 열아홉 푼이 남아 있는데!"

그 다음 해 단오절에도 주인은 다시 말했다.

"공을기는 아직 열아홉 푼의 외상값이 있는데!"

그러나 중추절이 되어서는 아무 말도 하지 않았다. 다시금 연말을 맞이했지만, 그는 여전히 모습을 나타내지 않았다.

나는 지금까지도 그를 만나지 못했다. 공을기는 틀림없이 죽었을 것이다.

(1919년 3월)

약

1

어느 가을날 새벽, 달은 졌으나 해는 아직 뜨지 않은 채 검푸른 하늘만이 낮게 드리워져 있었다. 밤에 돌아다니는 사람 외에는 모두 잠자리에 들어 있을 무렵이었다. 화노전은 자리에서 벌떡 일어났다. 그리고는 성냥을 그어 기름투성이인 등잔에 불을 붙였다. 조그마한 찻집 안은 푸르스름한 빛으로 가득 찼다.

"지금 가세요, 소전 아버지?"

늙은 여인의 목소리였다. 안쪽 작은 방에서는 기침 소리가 한바탕 들려왔다.

"그래."

노전은 기침 소리를 들으면서 옷에 단추를 끼웠다. 그리고는 손을 내밀며 말했다.

"돈을 이리 줘요."

화대마는 한참 동안 머리맡을 더듬더니 은화 한 꾸러미를 꺼내어 노전에게 주었다. 그것을 받아 든 노전은 떨리는 손으로 주머니에 집어넣고, 주머니 밖으로 두어 번 만져 보았다. 그리고는 초롱에 불을 붙이고 등잔불을 불어 끈 다음 안방으로 걸어갔다.

안방에서는 바스락거리는 소리가 나더니, 이어 한동안 콜록콜록 하는 기침 소리가 들렸다. 노전은 기침이 가라앉기를 기다려 나직한 목소리로 말했다.

"소전아……. 넌 일어나지 말아라……. 가게는 너의 엄마가 볼 수 있으니까."

아들이 아무 말도 하지 않으므로 노전은 잠든 것이라 생각하고 집을 나섰다. 거리는 온통 어둠에 싸여 있었다. 다만 한 줄기의 희끄무레한 길만이 드러나 보였다. 초롱불이 앞서거니 뒤서거니 하는 그의 두 발을 비치고 있었다. 도중에 개를 몇 마리 만났으나, 한 마리도 짖지 않았다.

바깥은 제법 추웠다. 하지만 노전에게는 그것이 도리어 상쾌하게 느껴졌다. 그는 마치 자기가 젊어져서 신통력을 얻고, 사람에게 생명을 주는 능력을 갖기라도 한 것처럼 걸음걸이가 더욱 가뿐해졌다. 게다가 걸을수록 길도 더 뚜렷해지고 하늘도 점점 밝아 왔다.

정신없이 걸어가던 노전은 저 멀리 '고무래 정자' 모양의 길이 가로막혀 있는 것을 보고 흠칫 놀랐다. 그는 몇 발짝 뒤로 물러나 아직 문을 열지 않은 가게의 처마 밑으로 들어가 문에 기대어 섰다.

그러고 있으려니 온몸이 으슬으슬해졌다.

"흥, 이 영감쟁이야!"

노전은 또 한 번 놀랐다. 눈을 부릅뜨고 보니 몇몇 사람들이 그의 앞을 지나갔다. 그 중 한 사람이 얼굴을 돌려 그를 보았다. 표정은 보이지 않았으나 오랫동안 굶주린 사람이 먹을 것을 발견했을 때처럼 눈에는 일종의 광채가 번득였다.

초롱의 불은 이미 꺼져 있었고, 주머니를 만져 보니 두둑한 돈이 만져졌다. 머리를 쳐들어 양쪽을 보니 괴상한 사람들이 삼삼오오 짝을 지어 유령처럼 근처를 배회하고 있었다. 그러나 정신을 차린 후에 다시 보니 별로 이상할 것도 없었다.

잠시 후에는 군인 몇 사람이 서성거리고 있는 것이 보였다. 군복의 앞뒤에 붙어 있는 희고 커다란 동그라미가 멀리서도 또렷이 보였다.

그들이 노전의 앞을 지나갈 때에는 군복 소매 끝에 두른 검붉은 선까지 보일 정도였다. 한바탕 발소리가 요란하게 울리더니 순식간에 한 떼의 사람들이 서로 밀치며 지나갔다.

너덧 명씩 흩어져 있던 사람들도 갑자기 한데 어울려 밀물처럼 앞으로 몰려갔는데, 정자 모양의 삼거리에 이르자 갑자기 멈춰 서서 반원 모양으로 빙 둘러섰다.

노전도 그쪽으로 눈을 돌렸으나, 한데 어울린 사람들의 등만 보일 뿐이었다. 모두들 목을 길게 빼고 있는 모습이 마치 오리들이 보이지 않는 손에 잡혀 매달려 있는 듯했다.

잠시 침묵이 흘렀다. 이윽고 무슨 소리가 나는 듯하더니, 다시 술렁이기 시작했다. 별안간 '와' 하고 함성을 지르며 모두들 노전이 있는 곳까지 흩어져 왔다. 하마터면 부딪혀 넘어질 뻔했다.

"이봐! 돈과 물건을 바꾸지!"

온몸이 새까만 사람이 노전 앞에 나타났다. 노전은 칼날처럼 날카로운 그의 눈빛에 몸이 반으로 움츠러들었다. 그 사람은 커다란 손을 노전에게 내밀고, 또 다른 손에는 시뻘건 만두를 쥐고 있었다. 거기서는 아직도 시뻘건 것이 뚝뚝 떨어지고 있었다.

노전은 당황하여 급히 은화를 꺼내가지고 부들부들 떨면서 그에게 내주려고 했다. 그러나 차마 그의 물건은 받지 못했다. 그 사람은 조급해져 버럭 소리를 질렀다.

"뭐가 무서워? 왜 받지 못해?"

노전이 그래도 주저하니까, 시커먼 사람은 노전에게서 와락 초롱을 빼앗았다. 그리고는 그것을 북 찢어 만두를 싸가지고 노전에게 안겨 주

었다. 그리고는 한쪽 손으로 은화를 움켜쥐고 만져 보더니, '이 늙은이가…….' 하고 중얼거리면서 가 버렸다.

"그걸로 누구 병을 고치려는 거요?"

누군가가 그렇게 물었지만 노전은 대답하지 않았다. 그의 온 정신은 지금 이 꾸러미 하나에만 집중되어 있었다. 마치 십대 독자인 갓난아기를 품에 안은 듯이 다른 일에는 조금도 관심이 없었다.

그는 지금 이 꾸러미 속에 든 새로운 생명을 그의 집에 이식하여 많은 행복을 거둬들이려는 것이다. 해도 떠올랐다. 눈앞에는 한 줄기 큰 길이 나타나 그의 집 앞까지 쭉 이어져 있었다. 뒤로는 정자 삼거리 입구 근처에 걸려 있는 낡은 편액에 씌어진 '고구정구'라는 네 개의 거무스름한 금빛 글자가 번쩍이고 있었다.

2

노전이 집에 돌아와 보니 가게는 이미 말쑥하게 정돈되어 있었고, 정연하게 놓여진 테이블은 반질반질 빛이 났다. 하지만 아직 손님은 없었다. 다만 소전이 혼자 안쪽 탁자에서 밥을 먹고 있을 뿐이었다.

굵은 땀방울이 이마에서 흘러내렸고, 겹저고리도 등에 찰싹 들러붙어, 툭 튀어나온 양쪽 어깨뼈가 팔자 모양을 그리고 있었다. 노전은 이 모양을 보자, 저도 모르게 미간을 찌푸렸다. 아내가 부엌에서 바쁘게 나오더니 입술을 떨며 말했다.

"구했어요?"

"구했소."

두 사람은 나란히 부엌으로 들어가 한참 동안 의논을 했다.

이윽고 밖으로 나간 화대마가 커다란 연잎 하나를 가지고 돌아와서 탁자 위에 펴놓았다. 노전도 초롱 종이로 싼 빨간 만두를 풀어 연잎으로 다시 쌌다.

소전이 밥을 다 먹자 어머니는 당황해하며 소리쳤다.

"소전, 넌 거기 앉아 있어! 여기 오면 안 돼!"

하면서 아궁이의 불을 일구었다. 노전은 들고 있던 초록빛 꾸러미와 빨갛고 하얗게 찢어진 초롱 종이를 함께 아궁이 속으로 밀어 넣었다. 검붉은 불꽃이 훨훨 타오르자, 가게 안에는 뭐라 형용하기 힘든 이상한 냄새가 가득 퍼졌다.

"냄새 한 번 좋다! 점심 때 뭘 잡수셨기에 이렇게 좋은 냄새가 나오?"

꼽추 영감 오소야가 온 것이다. 그는 거의 날마다 찻집에서 시간을 보냈다. 제일 일찍 와서 제일 늦게 가는 그는 마침 거리로 향해 있는 벽쪽 탁자 옆으로 어정어정 걸어와 앉으면서 말을 걸었다. 그러나 아무도 그에게 대꾸하지 않았다.

"볶음쌀 죽이오?"

그래도 여전히 대답하는 사람이 없었다. 노전은 바삐 걸어가 그에게 차를 따라 주었다.

"소전, 이리 들어온!"

엄마는 소전을 안방으로 불러들였다. 방 안에는 걸상 하나가 놓여 있었다. 소전이 자리에 앉자, 어머니는 동그랗고 새까만 것을 접시에 담아 들고 와서 나직이 말했다.

"이걸 먹으면 병이 낫는단다."

소전은 그 까만 것을 집어 들고 한참을 바라보았다. 마치 자기 생명을 손에 쥐고 있는 것 같은, 뭐라 말할 수 없는 괴상한 기분이 들었다. 아주 조심스럽게 반으로 가르니, 그을린 껍데기 속에서 흰 김이 피어오르고 그 사이로 두 개의 갈라진 밀가루 만두가 나타났다. 양이 적어

금세 뱃속으로 들어가 버렸으니, 무슨 맛이었는지 기억도 안 났다. 눈앞에는 단지 빈 접시 하나만이 남아 있을 뿐이었다.

그의 곁에는 아버지와 어머니가 서 있었다. 두 사람의 시선은 마치 그의 몸에 무얼 부어 놓고, 거기서 또 무얼 끄집어 내려는 것만 같았다. 그는 걷잡을 수 없이 심장이 뛰기 시작하여 가슴을 누르고, 또 한바탕 기침을 했다.

"한숨 자거라. 곧 괜찮아질 게다."

소전은 기침을 하면서 어머니가 시키는 대로 자리에 드러누웠다. 엄마는 소전의 기침이 가라앉기를 기다려, 누덕누덕 기운 겹이불을 살며시 덮어 주었다.

3

가게 안에는 많은 손님들이 들어와 있었다. 노전은 커다란 주전자를 들고 차례차례 손님들에게 차를 따라 주었다. 피로로 인해 노전의 두 눈자위가 거무스름하게 보였다.

"노전, 어디가 불편한가? 병이라도 난 거야?"

흰 수염쟁이가 물었다.

"아닐세."

"아니라고? 자네가 히죽히죽 웃기에, 그렇지 않을 거라고 생각은 했지만……."

흰 수염쟁이는 이내 자기 말을 취소했다.

"노전은 바빠서 큰일이야. 만약 저 사람 아들만……."

꼽추 영감 오소야의 말이 채 끝나기도 전에, 별안간 인상이 험악한 사람이 뛰어 들어왔다. 검은 무명옷을 걸치고 단추도 채우지 않은 채,

폭이 넓은 검정 허리띠를 아무렇게나 매고 있었다. 문을 들어서자마자 그는 노전에게 소리쳤다.

"먹였소? 나았소? 노전 영감은 운이 좋았어! 다 당신 운이요. 만약 내 정보가 늦었더라면……."

노전은 한손에 주전자를 들고 다른 한손은 공손히 내리고서 싱글싱글 웃으며 듣고 있었다. 그 자리에 있던 사람들도 모두 그들이 주고받는 이야기를 듣고 있었다. 부인 화대마도 역시 눈 언저리에 피곤한 기색이 역력했지만, 그래도 생글거리며 찻잔과 찻잎과 올리브를 손님들 앞에 날라다 놓았다. 노전이 곧 끓는 물을 부었다.

"이번엔 확실해. 그건 보통 것과는 다르니까. 생각해 보슈. 뜨끈뜨끈할 때 가져와서 뜨끈뜨끈할 때 먹었을 거니까."

험악한 얼굴의 사나이는 연신 떠들어 댔다.

"고맙습니다. 만약 강대숙께서 돌봐 주시지 않으셨다면 어떻게 이런……."

화대마도 몹시 감격해서 그에게 인사를 했다.

"틀림없이 나아요. 내가 보증할 수 있어요. 그렇게 뜨끈뜨끈할 동안에 먹었으니까. 그런 인혈 만두(사람의 피를 묻힌 만두)를 먹으면 어떤 폐병이라도 낫지!"

화대마는 폐병이라는 소리를 듣자 얼굴빛이 변했다. 불쾌한 기색이 역력했으나, 이내 웃음을 짓고는 그 자리를 물러났다. 강대숙은 그것도 눈치채지 못하고 여전히 큰 소리로 떠들어 댔다. 그러자 안에서 자고 있던 소전도 떠드는 소리에 깨어나 다시 쿨룩거리기 시작했다.

"자네와 소전이 좋은 운수를 만난 게로군. 그 병은 틀림없이 나을 걸세. 어쩐지 노전이 아침부터 싱글거리더라니."

흰 수염쟁이는 이렇게 말하면서 강대숙 앞으로 가서 소리를 낮추고 물었다.

"강대숙……. 듣자니 오늘 처형 당한 죄수는 하씨 집안 아들이라던데, 대체 누구의 아들이지?"

"누구 아들이냐고? 하씨 집 넷째 아줌마의 아들이지, 누구긴 누구야! 그 얼간이 같은 놈!"

강대숙은 여러 사람이 모두 자기 말에 귀를 기울이고 있는 것을 보자, 더욱 신이 나서 지껄여 댔다.

"그 머저리 같은 놈은 살기 싫다는 놈이니, 살려 둘 필요도 없지. 하지만 나는 이번에 국물도 안 생겼단 말이야. 그나마 뺏은 옷마저 빨간 눈의 옥사쟁이 아의가 차지해 버렸지……. 제일 덕본 사람은 뭐니 뭐니 해도 노전 영감이고, 두 번째는 하씨네 셋째 아들이지. 새하얀 은화를 스물닷 냥이나 상으로 받아 가지고 고스란히 주머니에 챙겨 넣었으니까."

소전이 두 손으로 가슴을 움켜쥐고, 연신 기침을 해대며 골방에서 기어 나왔다. 부엌으로 간 그는 찬밥을 한 그릇 퍼담아 더운 물을 붓더니 먹기 시작했다. 화대마가 뒤쫓아가서 나직이 물었다.

"소전, 좀 나았니? 또 배가 고픈 모양이구나……."

"틀림없이 나을 테니 두고 봐!"

강대숙은 소전을 힐끗 쳐다보더니, 다시 여러 사람을 향해 지껄이기 시작했다.

"하씨네 셋째 아들은 정말 약은 놈이야. 만약 그놈이 앞질러 고발하지 않았다면, 그놈 역시 전재산 몰수에다 일가가 몰살당할 판이었는데……. 그런데 지금은 어떤가? 은전을 스물닷 냥이나 받았으니……. 그 죽은 녀석은 정말 얼간이더군! 옥에 갇힌 뒤에도 옥사쟁이에게 혁명을 권했으니."

"거, 말도 안 돼."

뒷줄에 앉아 있던 스무 살 남짓한 사람이 분개한 말투로 말했다.

"다들 이건 분명히 알아둬. 빨간 눈 아의가 일의 전말을 조사하러 갔더니, 그놈이 도리어 아의에게 이런 말을 했다는 거야. '천하는 우리들의 것이다' 하고 말이지. 생각해 보라고, 그게 어디 할 소린가? 빨간 눈 아의도 그놈의 집에 늙은 어머니 하나밖에 없다는 것은 알고 있었지만, 설마 그렇게까지 가난한 줄은 생각도 못했지. 아무리 쥐어 짜도 기름 한 방울 짜낼 수 없으니, 그것만 해도 화가 치미는 판에 그놈이 이러쿵저러쿵 군소리를 늘어놓았으니, 아의가 따귀를 두 대나 갈겼지."

"아의에게 두 대나 맞았으면, 그놈 틀림없이 뼈가 부러졌을걸."

그러자 구석에 앉아 있던 꼽추 영감이 갑자기 신이 나서 지껄였다.

"그런데 그 멍청한 놈은 맞으면서 겁도 안 내고, 오히려 불쌍하다, 불쌍하다 하더라니까."

"그런 놈을 때리는데 불쌍긴 뭐가 불쌍해?"

흰 수염쟁이의 말에, 강대숙은 경멸하듯이 말했다.

"자넨 도대체 내 얘기를 어디로 듣는 거야! 그놈 기분으론 오히려 아의가 불쌍하다는 거야!"

그러자 얘기를 듣고 있던 사람들의 눈빛이 갑자기 얼떨떨해지더니, 갑자기 침묵이 흘렀다. 소전은 이미 식사를 끝마쳤다. 그새 온몸은 땀으로 범벅이 되었으며, 머리에서는 김까지 나고 있었다.

"아의가 불쌍하다니……. 미쳤군, 완전히 미쳤어."

흰 수염쟁이가 갑자기 깨달았다는 듯이 말했다.

"미쳤지."

스무 살 남짓한 청년도 갑자기 깨달았다는 듯이 말했다. 가게 안의 손님들은 다시 활기를 띠고 담소를 나누기 시작했다. 소전은 그 왁자지껄한 소리에 더 심하게 기침을 했다. 강대숙은 앞으로 다가와 그의 어깨를 두드리며 말했다.

"꼭 낫는다, 소전! 그렇게 기침을 하면 안 되지. 틀림없이 낫는다."

"미쳤어."

곱사등이 오소야가 머리를 끄덕이며 말했다.

4

서쪽 성벽 바깥의 공터는 원래 관유지였다. 중간을 가로지른 꾸불꾸불한 오솔길은 지름길로 가려는 사람들에 의해 생긴 것인데, 어느 새 길이 되어 자연적인 경계를 이루고 있었다. 그 길 왼쪽에는 사형을 당하거나 옥사한 사람들의 무덤이 있었고, 오른쪽은 가난한 사람들의 공동 묘지였다. 양쪽 다 이미 무덤들로 들어차서, 마치 부잣집 생일 잔치 때 쌓아 놓은 만두처럼 보였다.

그 해 청명절은 유난히 춥고, 버들이 겨우 싸라기만한 새싹을 내밀고 있었다. 날이 밝자마자 화대마는 오른쪽 새 무덤 앞에, 네 접시의 찬과 밥 한 사발을 차려놓고 한바탕 곡을 했다. 그런 다음 지전을 태우고 멍하니 무덤 앞에 웅크리고 앉아 있었다. 무엇을 기다리는지는 자신도 알지 못했다. 산들바람이 불어와 그녀의 귀밑머리를 흩날렸다. 화대마는 작년보다 흰머리가 부쩍 늘어 있었다.

오솔길을 따라 또 한 여인이 걸어왔다. 역시 반백의 머리에 남루한 옷을 걸치고, 망가져 가는 바구니를 들고 있었다. 그 여인은 바구니 밖으로 지전을 한 줄 늘어뜨리고 터벅거리며 걸어왔다.

그 여인은 화대마가 자기를 보고 있는 것을 느끼자, 약간 망설이며 창백한 얼굴에 부끄러운 기색을 드러냈다. 그러나 이내 결심한 듯 왼쪽 무덤 앞으로 가서 바구니를 내려놓았다. 그 무덤은 소전의 무덤과 일자로 위치해 있고, 그 사이에 작은 길이 가로질러 있었다. 화대마는 그 여인이 네 접시의 반찬과 밥 한 사발을 차려놓고 선 채로 곡을 한 뒤, 지전을 태우는 것을 보고는 속으로 생각했다.

'저 무덤도 역시 아들 무덤이로구나.'

그 늙은 여인은 근처를 한참 왔다갔다하며 둘러보다가, 갑자기 손발을 떨고 비틀거리며 몇 발짝 뒤로 물러났다. 그리고는 눈을 부릅뜬 채 넋을 놓고 있었다.

화대마는 그 모양을 보고, 여인이 상심한 나머지 미쳐 버리지나 않을까 걱정이 되었다. 화대마는 더 이상 보고만 있을 수가 없어 벌떡 일어났다. 그런 다음 오솔길을 건너가 낮은 소리로 여인에게 말을 걸었다.

"아주머니, 너무 상심하지 마세요……. 자, 그만 돌아갑시다."

그 여인은 고개를 끄덕였으나 눈은 여전히 허공을 향해 뜨고 있었다. 그리고 낮은 소리로 떠듬떠듬 말했다.

"저것 보세요……. 저게 뭐죠?"

화대마는 그녀가 가리키는 곳으로 시선을 돌렸다. 그 곳에는 떼가 아직 다 입혀지지 않은 무덤이 여기저기 황토가 드러난 채로 흉하게 자리하고 있었다. 시선을 위쪽으로 돌리던 화대마는 자기도 모르게 깜짝 놀랐다. 분명 붉고 흰 꽃들이 무덤 꼭대기에 둥근 원을 그리며 피어 있었던 것이다.

사방이 어두웠으나, 두 사람은 이 붉고 흰 꽃을 똑똑히 알아볼 수 있었다. 꽃은 그다지 싱싱하지는 않으나 소담스레 피어 있었다.

화대마는 얼른 자기 아들의 무덤과 다른 무덤들을 둘러보았다. 거기에는 단지 추위에 잘 견디는 몇 송이 푸르고 흰 꽃이 드문드문 피어 있을 뿐이었다.

그녀는 갑자기 마음속에서 어떤 불만과 허전함이 퍼져 나가는 것을 느꼈다. 늙은 여인은 다시 몇 발짝 다가가서 자세히 살핀 다음 혼잣말처럼 지껄였다.

"여기엔 뿌리가 없군. 저절로 핀 것 같지는 않은데……. 하지만 이런 곳에 대체 누가 올까? 아이들이 놀러 올 리도 없고……. 일가 친척들은 벌써부터 발길을 끊었고……. 이게 대체 어찌 된 일일까?"

그 여인은 한참 동안 생각에 잠겨 있더니 별안간 눈물을 흘리며 큰 소리로 말했다.

"유아야, 무고한 너를 그놈들이 억울하게 죽였구나. 너는 아직도 그것을 잊지 못해서, 오늘은 특별히 영험을 보여 내게 알리려는 거지?"

그녀가 주위를 둘러보자, 까마귀 한 마리가 앙상한 나뭇가지에 앉아 있었다. 그녀는 다시 말을 이었다.

"유아야, 부디 너를 모함한 그놈들을 가엾게 여겨라. 그 몹쓸 놈들은 반드시 보복을 받는다. 하느님은 모든 걸 알고 계시니, 너는 편히 눈을 감아라……. 네가 만약 정말로 여기 있어 내 말을 듣는다면, 저 까마귀가 네 무덤 위로 날게 하여 다오."

산들바람은 벌써 멈추어 있었다. 시든 풀들이 하나하나 철사처럼 빳빳하게 서 있었다. 풀들이 떠는 소리가 공기 속에서 점점 가늘어지더니, 주위는 마침내 온통 죽음처럼 적막해졌다. 두 사람은 마른 풀더미 속에서서 까마귀를 올려다보았다. 그러나 까마귀는 곧은 나뭇가지 사이에 목을 움츠린 채, 쇠붙이처럼 꼼짝도 않고 앉아 있었다.

오랜 시간이 지나자, 성묘 오는 사람의 수가 점차 늘어났다. 늙은이와 아이들이 여기저기 눈에 띄었다. 화대마는 어쩐지 무거운 짐을 내려놓은 듯한 느낌이 들어 그 여인에게 공손하게 권했다.

"이제 그만 돌아갑시다."

풀이 죽은 여인은 '후우' 한숨을 내쉬며 제물을 챙기기 시작했다. 그 뒤에도 한참 망설이다가 이내 천천히 걷기 시작했다. 입 속으로는 혼잣말처럼 '이게 도대체 어찌 된 일일까?' 하고 중얼거리면서.

그들이 아직 이삼십 발짝도 못 옮겼을 무렵, 별안간 뒤에서 까악! 하는 커다란 울음소리가 들렸다.

두 사람이 깜짝 놀라 돌아다보자, 아까의 까마귀가 두 날개를 펴고 몸에 탄력을 붙이며 곧장 먼 하늘을 향해 쏜살같이 날아가는 것이었다.

(1919년 4월)

내 일

"아무 소리도 안 들리네! 어린것이 아픈가?"

빨간코 노공이 황주 한 잔을 든 채 중얼거리면서, 칸막이 옆의 벽 쪽으로 턱짓을 했다. 얼굴이 퍼런 아오가 술잔을 내려놓고 노공의 등짝을 힘껏 내리치고는 들릴 듯 말 듯한 목소리로 중얼거렸다.

"자네 또 고약한 생각을 하고 있는 모양이군."

노진은 본래 궁벽한 곳이라 아직도 옛 풍습이 많이 남아 있었다.

그 곳 사람들은 저녁 일곱 시도 못 되어 모두 문을 닫고 자 버린다. 밤이 깊어도 잠들지 않는 집은 딱 두 곳뿐이었다. 한 집은 함형 주점으로, 몇 명의 술꾼들이 술청을 둘러싸고 매우 흥겹게 술을 마시고 있었다. 다른 한 집은 바로 그 옆집인 단즈 아줌마네 집이다. 재작년에 혼자된 그녀는 직접 무명 길쌈을 하여 세 살 먹은 아들을 데리고 살아야 하기 때문에 늘 늦게 잠자리에 들었다.

그런데 요 며칠 사이 물레질하는 소리가 전혀 들리지 않았다. 하긴 밤이 깊어도 불이 꺼지지 않는 집이 딱 두 집뿐이고 보면, 단즈 아줌마 집에서 소리가 나면 당연히 노공들에게 들릴 것이고, 소리가 안 나도 그들이 아는 것이다.

노공은 등짝을 한 대 얻어맞더니 퍽 기분이 좋아진 듯 술을 한 잔 쭉 들이켜고는 흥얼흥얼 노래를 부르기 시작했다.

이 때 단즈 아줌마는 그녀의 아들 보아를 안고 침상 옆에 앉아 있었고, 물레는 바닥에 고요히 놓여 있었다. 어둠침침한 불빛이 보아의 얼굴을 비추고 있었다. 열이 오른 보아의 얼굴에 푸른 빛이 조금 돌았다. 단즈 아줌마는 곰곰이 따져 보았다. 점괘도 뽑아 보았고 불공도 드렸다. 간단한 처방약도 먹여 보았다. 그래도 효험이 없으니 어떻게 하면 좋단 말인가.

이젠 하소선에게 진찰하러 가는 수밖에 없다. 그러나 보아의 병은 낮엔 덜하고 밤이 되면 더하니, 하룻밤 자고 나면 열도 가라앉고 숨찬 기도 가실 것이다. 이런 일은 병자에게 흔히 있는 일이니까.

단즈 아줌마는 우둔한 여인이므로 이 '그러나'라는 한 마디가 얼마나 두려운 것인지를 모른다. 나쁜 일들이 '그러나'라는 말로 인해 좋아진 경우도 물론 있다. 하지만 반대로 좋은 일들이 그 말로 인해서 망쳐진 경우도 허다한 것이다.

여름밤은 짧다. 노공들이 흥얼거리며 노래를 부른 지 얼마 되지 않아 동녘이 밝아왔다. 그러더니 이내 창문 틈으로 은백색의 새벽 빛이 스며들기 시작했다.

날이 밝기를 기다리고 있던 단즈 아줌마는 다른 사람들과는 달리 해 뜨는 것이 몹시도 더디게 느껴졌다. 보아의 숨결 하나하나가 1년처럼 길게 느껴졌다.

마침내 훤하게 날이 밝았다. 밝은 빛이 등불을 압도했다. 보아가 콧방울을 벌름거리는 것이 보였다. 그제서야 단즈 아줌마는 보아의 병세가 심상치 않음을 알아채고는 저도 모르게 어머나! 소리를 질렀다. 그리고는 어떻게 해야 좋을지를 속으로 생각했다.

하소선에게 진찰하러 가는 길밖엔 다른 방법이 없다. 그녀는 우매하기는 했으나 결단력은 있었다.

자리에서 일어난 그녀는 나무 궤짝 속에 모아 둔 은전 13원과 동전 190개를 꺼내어 주머니 속에 넣었다. 문을 잠근 그녀는 보아를 안고 곧장 하씨 집으로 달려갔다.

　아직 이른 아침인데도 하씨 집에는 벌써 네 명의 환자가 기다리고 있었다. 그녀는 은화 40전을 꺼내어 진찰권을 샀다. 다섯 번째가 보아의 차례였다. 하소선은 두 손가락을 뻗어 맥을 짚어 보았다. 손톱의 길이가 네 치 이상이나 되는 것을 보고 단즈 아줌마는 이상하게 생각했지만, 어쨌든 보아는 살아날 것이라고 믿었다.

　그러나 초조해진 단즈 아줌마는 머뭇머뭇하며 물었다.

　"선생님……. 우리 보아는 무슨 병인가요?"

　"이 아이는 위가 막혀 있습니다."

　"아무 일 없을까요? 이 애는……."

　"우선 약을 두어 첩 먹여 보슈."

　"이 애는 숨을 잘 쉬지 못하고 이렇게 콧방울을 벌름거리고 있답니다."

　"그건 불의 기운이 쇠를 이기고 있으니……."

　하소선은 말을 하다 말고 눈을 감았다. 단즈 아줌마는 더 이상 묻기가 어색했다. 이 때 하소선 맞은편에 앉아 있던 한 서른 남짓 된 사람이 이미 처방전을 다 적어가지고, 종이에 적힌 글자를 가리키며 말하는 것이었다.

　"첫 번째 적힌 보영 활명환은 가씨 집의 제세노점에만 있습니다."

　단즈 아줌마는 약방문을 받아 들고 가면서 생각했다. 그녀는 비록 어리석은 여자이기는 하지만 하씨 집과 제세노점과 자기 집은 세모꼴의 노선을 이루고 있으므로, 약을 사가지고 돌아가는 것이 편하다는 것쯤은 잘 알고 있었다. 그래서 곧장 제세노점을 향해 달려갔다.

역시 긴 손톱을 가진 약국 점원은 처방을 보며 천천히 한약 봉지를 쌌다. 단즈 아줌마는 보아를 안은 채 기다렸다. 별안간 보아가 작은 손을 들어 그녀의 헝클어진 머리칼을 힘껏 잡아당겼다. 전에 없던 일이라 단즈 아줌마는 왈칵 겁이 났다.

해는 벌써 높이 떠 있었다. 단즈 아줌마는 보아를 안고 약 꾸러미를 든 채 걸었다. 걸을수록 더 무거워지는 것 같았다. 아이는 자꾸만 보채고, 길은 갈수록 더 멀게만 느껴졌다. 그녀는 길가 어느 집 문턱에 걸터앉아 잠시 쉬고 있었다. 옷이 점점 얼음장처럼 차갑게 몸에 달라붙자, 그녀는 자기가 땀을 흠뻑 흘린 줄 알았다.

이제 보아는 잠든 모양이었다. 그녀는 다시 일어나 천천히 걸었으나, 역시 지탱하기가 힘들었다.

그 때 갑자기 누군가의 목소리가 들려왔다.

"단즈 아줌마, 내가 좀 안아 줄까요?"

푸른 낯짝을 한 아오의 목소리 같았다. 얼굴을 들고 보니 아니나다를까, 아오가 몽롱한 눈을 해 가지고 그녀를 따라오고 있었다.

단즈 아줌마는 그 때 하늘에서 천사라도 내려와 좀 도와주었으면 하고 바라던 참이었지만, 아오만은 딱 질색이었다. 그러나 남달리 의협심이 강한 아오는 이것저것 가릴 것 없이 자기가 도와주겠다고 우겨 댔다. 한참 사양하던 그녀도 결국 승낙하고 말았다.

아오는 그녀의 젖가슴과 아이 사이로 팔을 쭉 뻗어 아이를 안아 올렸다. 순간 단즈 아줌마는 젖가슴이 후끈해지는 듯하더니, 이내 얼굴과 귀밑까지 달아오름을 느꼈다.

두 사람은 두 자 반쯤 떨어져 걷고 있었다. 아오가 말을 걸었으나, 단즈 아줌마는 통 대꾸도 하지 않았다. 얼마 안 가서 아오는 아이를 다시 돌려주며, 친구와 식사하기로 약속한 시간이 다 되었다고 말했다. 단즈 아줌마는 아이를 받아 안았다. 다행히 집이 멀지 않았다.

어느새 앞집의 왕구마 할머니가 길가에 앉아 있는 것이 보였다. 그녀는 멀리서 말을 걸어 왔다.

"이봐요, 단즈! 어린애는 좀 어떠우? 의원님께 보였수?"

"그러기는 했지만……. 왕구마 할머니, 연세도 많으시고 경험도 많으실 테니, 차라리 할머니가 봐 주시는 게 어떨까요?"

"흠……."

"어때요?"

"흠……."

왕구마는 보아의 얼굴을 자세히 들여다보더니 머리를 두어 번 끄덕였다가 다시 두어 번 흔들었다.

보아에게 약을 먹이고 나자 벌써 반나절이 다 지나갔다. 단즈 아줌마는 유심히 아이의 안색을 살펴보았는데, 제법 안정된 것같이 보였다.

오후가 되자 보아는 별안간 눈을 크게 뜨고, '엄마!' 하고 외마디소리를 지르더니 다시 잠이 들었다. 잠든 지 얼마 안 되어 보아의 이마와 콧등에는 방울방울 땀방울이 맺혀 있었다.

단즈 아줌마가 가만히 만져 보니, 그것은 고무풀처럼 끈적거렸다. 아줌마는 당황해서 아기의 가슴을 문질러 주다가 마침내 목놓아 울기 시작했다.

보아의 호흡은 정상을 벗어나 영영 스러지고 말았다. 단즈 아줌마의 울음소리도 흐느낌에서 통곡으로 변했다. 사람들이 하나 둘 모여들기 시작했다.

문 안에는 왕구마 할머니와 푸른 얼굴의 아오 등이 있었고, 문밖에는 함형 주점의 주인과 빨간코 노공 등이 있었다.

왕구마가 일어서서 지전 한 묶음을 불살랐다. 그런 다음 걸상 두 개와 옷 다섯 벌을 잡힌 다음, 은화 2원을 꾸어다가 일 보는 사람들의 식사를 준비했다.

첫 번째 문제는 관이었다. 단즈 아줌마는 가지고 있던 은귀고리 한 벌과 도금한 은비녀를 모두 함형 주점의 주인에게 넘겨주며 보증을 좀 서 달라고 했다. 그리고 나서 현찰 반, 외상 반으로 관을 하나 샀다.

푸른 얼굴의 아오가 팔을 걷어붙이며 자기가 사 오겠다고 했으나, 왕구마는 내일 관 메는 일이나 도와 달라며 말렸다. 아오는 '거, 빌어먹을 노인네!' 하고 욕설을 퍼붓고는 못마땅한 듯 입을 뽀로통하게 내밀고 서 있었다.

술집 주인이 나갔다가 저녁때나 되어 돌아오더니, 관은 새로 짜야 하기 때문에 밤중쯤에나 될 것이라고 말했다.

주인이 돌아왔을 때 사람들은 벌써 저녁 식사를 마친 뒤였다. 노진에는 아직도 고풍이 남아 있어 7시도 되기 전에 모두들 집에 돌아가 잤다. 단지 아오가 여전히 함형 주점의 술청에 기대어 술을 마셨고, 노공 역시 와와 소리지르며 노래를 부르고 있었다.

그 때 단즈 아줌마는 침상 곁에 걸터앉아서 울고 있었다. 보아는 침상 위에 뉘어 있었고, 물레는 소리 없이 바닥에 놓여 있었다. 한참이 지나 단즈 아줌마는 눈물을 거두고, 사방을 둘러보았다.

모든 것이 기괴하게 생각되었다.

그녀는 속으로 생각했다. 이 모든 것이 한낱 꿈일 것이다. 내일 잠에서 깨어나면 자기는 침상에 누워 있고, 보아도 아무 일 없이 자기 곁에 누워 있을 것이다. 보아는 잠에서 깨어나 '엄마!' 하고 부르며 활기찬 용이나 호랑이처럼 뛰어나가 놀 것이다.

라오꿍의 노랫소리도 벌써 오래 전에 그쳤고 함형 주점도 불이 꺼졌다. 단즈 아줌마는 눈을 뜬 채로, 이 모든 일을 믿으려 하지 않았다.

첫닭이 울었다. 동녘 하늘이 점점 밝아오더니 창 틈으로 은백색의 새벽빛이 스며들었다.

은백색의 새벽빛은 점차 붉은빛을 띠더니, 이어서 햇살이 지붕을 비췄다. 단즈 아줌마는 뜬눈으로 멍하니 앉아 있었다. 그러다 문 두드리는 소리가 나자 깜짝 놀라 뛰어나가 문을 열었다. 문밖에는 낯선 사람이 등에 무엇인가를 짊어지고 있었고, 그 뒤에 왕구마가 서 있었다.

아아, 그들은 관을 짊어지고 온 것이다.

오후에야 그들은 겨우 관 뚜껑을 덮었다. 단즈 아줌마가 울다가는 들여다보고, 울다가는 들여다보고 하며 한사코 관 뚜껑을 덮지 못하게 했기 때문이다. 보다 못한 왕구마가 그녀를 끌어내자, 간신히 여럿이 달려들어 뚜껑을 덮었다.

단즈 아줌마는 보아에게 온갖 정성을 다했으므로, 더 이상 걸릴 것이 없었다. 어제는 지전을 한 묶음 불살랐으며, 또 오전에는 49권의 《대비주》를 불살랐다. 염을 할 때에는 새 옷을 입혀 주었고, 평소에 좋아하던 장난감——흙 인형 하나, 나무 그릇 두 개, 유리병 두 개——도 머리맡에 놓아 주었다. 뒤에 왕구마가 손가락을 꼽으며 따져 보았으나 빠진 것은 하나도 없었다.

그날따라 푸른 얼굴의 아오는 끝내 나타나지 않았다. 함형 주점의 주인이 단즈 아줌마를 대신하여 한 사람에 210푼씩 하는 인부 두 사람을 사서, 공동묘지까지 관을 메고 가게 했다.

왕구마는 또 그녀를 도와 밥을 지어서, 손을 움직였거나 입을 열었던 사람들에게 모두 대접했다.

이윽고 해가 서산으로 떨어지려는 기색을 보이자, 밥을 먹은 사람들은 모두 집으로 돌아가고 싶어 하는 기색을 보였다. 그리고는 결국 모두 돌아가고 말았다.

단즈 아줌마는 몹시 현기증이 났으나 얼마간 쉬고 나자 좀 괜찮아졌다. 그러나 그녀는 자꾸만 이상한 기분에 젖어 있었다. 평생 겪지 못할 일을 겪었고, 절대 있을 수 없는 일이 확실히 일어났다.

생각할수록 더욱 이상한 일이었다. 또 한 가지 이상한 점은 갑자기 방 안이 너무나 조용해진 점이다.

그녀는 일어나 등불을 켰다. 하지만 방 안은 더욱 고요하게만 느껴졌다. 그녀는 후들거리는 걸음으로 문을 잠그고 돌아와서 침상 위에 앉았다. 물레는 조용히 바닥에 놓여 있었다. 그녀는 정신을 가다듬고 둘러보다가, 더욱 마음이 어지러워지는 것을 느꼈다. 방이 너무 고요할 뿐 아니라 가구 또한 횅뎅그렁하게 놓여 있다. 커다란 방이 사방에서 그녀를 에워싸고, 물건들도 사방에서 그녀를 압박해 왔다. 그녀는 숨도 제대로 쉬지 못할 지경이었다.

그녀는 그제서야 보아가 죽었음을 알았다. 그녀는 빈 방이 보기 싫어 불을 끄고 누웠다.

그녀는 울면서 지난날을 생각했다.

언젠가 무명실을 잣고 있을 때의 일이다. 곁에 앉아 회향두를 먹던 보아가 조그맣고 검은 눈을 부릅뜨더니 생각에 잠겨 말했다.

"엄마! 아빠는 경단 팔았지? 나도 크면 경단 장사 할래. 많이많이 팔아서, 돈 많이 벌어서…… 모두 엄마 줄 거야."

그 때는 정말이지 자아내는 무명실도 한 치 한 치가 반가웠고, 생명을 불어넣어 주는 것처럼 생각되었다. 하지만 지금은 어떤가? 단즈 아줌마는 이제 아무 생각도 나지 않았다. 이미 말했듯이 우둔한 그녀가 무엇을 생각해 내겠는가? 그녀는 다만 이 방이 너무 조용하고, 너무 크며, 너무 허전하다고 느낄 뿐이었다.

그러나 단즈 아줌마는 비록 우둔하기는 했지만, 한번 떠난 넋은 돌이

킬 수 없으며, 보아도 다시는 만날 수 없다는 것을 잘 알고 있었다. 그녀는 깊은 한숨을 내쉬며 혼잣말처럼 중얼거렸다.

"보아야, 넌 아직도 여기 있을 테지. 엄마의 꿈속에라도 나타나 다오."

그리고는 눈을 감았다. 어서 잠들어 보아를 만나고 싶었다. 괴로운 숨결이 고요하고 텅 빈 방 안을 지나는 것이 자기 귀에도 똑똑히 들렸다.

어느덧 단즈 아줌마는 몽롱한 잠에 빠져들었다. 방 안은 쥐죽은 듯이 고요해졌다.

그 무렵, 빨간코 노공의 짧은 노래도 거의 다 끝나가고 있었다. 그는 비틀비틀 함형 주점을 나오더니, 또다시 목청을 돋우어 노래했다.

"원수 같은 당신이지만……. 네가 애처롭구나……. 나 혼자 외로이……."

푸른 얼굴의 아오가 손을 뻗어 노공의 어깨를 움켜쥐자, 두 사람은 이리 비틀 저리 비틀 하며 걸어갔다.

단즈 아줌마는 이미 잠들어 버렸다. 노공들도 가 버리고, 함형 주점도 문을 닫았다.

이제 노진은 완전히 정적 속에 빠져들었다. 다만 저 어두운 밤만이 내일이 되고자 정적 속을 달리고 있을 뿐이다. 개 몇 마리가 어둠 속에서 컹컹거리며 짖고 있었다.

(1920년 6월)

일건소사

내가 시골에서 북경으로 나온 지도 벌써 6년이 되었다. 그 동안 보고 들은 국가의 대사들이 헤아릴 수도 없이 많지만, 어느 것도 내 마음에 흔적을 남기지는 못했다.

만약 그 사건들이 내게 미친 영향을 찾아 내어 보라고 한다면, 그저 내 신경을 돋웠을 뿐이라 하겠다. 솔직히 말해서 나 자신은 날이 갈수록 사람들을 경멸하게 되었던 것이다.

그러나 이런 나쁜 습관을 잊게 해준 일건소사(한 가지의 작은 사건)가 있었다. 그것은 내게 의미 있는 사건이었고, 내 마음을 부드럽게 만들어 주었다. 나는 지금도 그 사건을 잊을 수가 없다.

그것은 민국 6년(1917년, 작가가 북경 정부의 교육부 관리로 있던 때) 겨울, 심한 북풍이 몰아치던 날의 일이었다. 나는 생계를 꾸리기 위해, 아침 일찍 집을 나섰다. 거리에는 사람의 그림자 하나 보이지 않았다. 겨우 인력거 한 대를 잡아 타고 S문까지 가자고 했다. 북풍은 어느새 수그러졌고, 길바닥의 먼지는 이미 바람에 날려가 버려 새하얀 큰길만이 보였다. 인력거꾼의 발걸음도 차차 가벼워졌다.

인력거가 S문 앞에 거의 닿으려는 순간, 갑자기 누군가가 인력거 손잡이에 걸려 비실비실 넘어졌다. 넘어진 사람은 노파였다. 그녀의 머리는 희끗희끗하고, 입고 있는 옷도 남루했다.

그녀는 길가에서 갑자기 인력거를 가로지르려 했던 것이다. 인력거꾼은 순간 길을 비켰지만, 풀어 헤쳐진 그녀의 무명 조끼가 바람에 날려 그만 인력거 채에 걸리고 말았던 것이다.

다행히도 인력거꾼이 걸음을 멈추었기에 망정이지, 그렇지 않았더라면 그녀는 틀림없이 거꾸로 넘어져서 머리가 깨지고 피를 흘렸을지도 모른다.

그녀가 바닥에 쓰러지자, 인력거꾼은 걸음을 멈추었다. 나는 이 노파가 다쳤다고는 생각지 않았다. 게다가 보고 있는 사람도 없는 듯했다. 나는 인력거꾼이 쓸데없는 짓을 한다고 생각하자 화가 났다. 자꾸만 말썽이 생기면 갈 길이 늦어질지도 모르니까.

그래서 나는 그에게 말했다.

"별 일 아냐. 어서 가지."

하지만 인력거꾼은 들은 척도 하지 않고——어쩌면 들리지 않았는지도 모른다——손잡이를 내리면서, 노파에게 물었다.

"어떠십니까?"

"넘어져서 다쳤소."

물론 다쳤을 리가 없다. '비실거리며 넘어지는 걸 내가 방금 보았는데, 엄살을 떨고 있어. 정말 밉살스러운 노파로군. 인력거꾼도 그렇지. 왜 쓸데없는 걱정거리를 만든단 말이야? 그래, 어찌 되든 네 마음대로 해라.' 하고 나는 마음속으로 생각했다.

인력거꾼은 노파의 말을 듣자, 조금도 망설이지 않고 팔을 부축하여 한 발 한 발 앞으로 걸어나갔다. 이상하게 여기며 그쪽을 바라보니, 거기엔 파출소가 있었다. 인력거꾼은 강풍으로 인해 아무도 없는 거리를 가로질러 곧장 파출소 정면을 향해 걸어가는 것이었다.

이 때 나는 돌연 야릇한 감동에 휩싸였다. 온몸에 먼지를 뒤집어쓴 그의 뒷모습이 갑자기 커다랗게 느껴졌다. 한 발짝씩 멀어질 때마다 그는 점점 커져서 마침내 우러러보지 않으면 안 될 정도가 되었다. 더구나 그것은 내게 점차 위압에 가까운 감정으로 변해서, 털가죽 옷 밑에 감추어진 '소아'를 밀어 내려는 것같이 생각되었다.

나는 멍하니 넋을 잃은 사람처럼 인력거에 앉아 있었다. 이윽고 파출소에서 순경 한 사람이 나오는 것이 보였다. 나는 비로소 인력거에서 내렸다. 순경은 내가 있는 곳으로 와서 말했다.

"다른 인력거를 타시죠. 저 사람은 이제 인력거를 끌지 못하게 되었으니까요."

나는 앞뒤 생각할 겨를도 없이 외투 주머니에서 동전을 한 줌 꺼내어 순경에게 주며 말했다.

"이걸 인력거꾼에게 좀 전해 주시오……."

바람이 완전히 그쳐 있었지만, 거리는 여전히 조용했다. 나는 걸으면서 생각했다. 하지만 나 자신에게 생각을 돌리는 일이 몹시 두렵게 여겨졌다. 그 전의 일은 다 덮어 둔다 해도, 도대체 동전 한 줌은 무슨 의미였을까? 그에 대한 포상이었을까? 그렇다면 내가 인력거꾼을 평가할 권리라도 있단 말인가? 나는 자신에게 아무 대답도 할 수가 없었다.

이 사건은 지금에 와서도 항시 내 머릿속에 떠오른다. 그럴 때마다 나는 고통을 참고 나 자신에 대해 생각하려고 노력해 왔다. 내게 있어 최근 몇 년 사이의 '문치'나 '무력'은 어린 시절에 읽은 '자왈, 시에 이르기를' 따위와 같이 단 한 줄도 기억할 수 없는 것들이 되고 말았다. 그러나 이 작은 사건만은 언제나 내 머릿속에서 떠나질 않는다. 아니, 때로는 전보다 더 선명하게 떠올라 나를 부끄럽게 만들며, 나를 새롭게 분발시키고, 또한 용기와 희망을 북돋아 주는 것이다.

(1920년 7월)

풍 파

강가의 흙마당 근처에도 해가 점차 그 누르스름한 광선을 거둬들이고 있다. 강가에서 자라고 있는 오구나무의 바싹 말라 있던 잎들도 겨우 숨통을 돌렸다. 그 밑으로 몇 마리의 모기들이 윙윙거리며 날아다니고 있다.

강가 농가의 굴뚝에서는 밥 짓는 연기가 피어오르고, 아낙네들과 아이들은 저마다 자기 집 앞마당에 물을 뿌린 뒤 작은 탁자와 걸상들을 들고 나온다. 그러고 보니 벌써 저녁 먹을 시간이 다 되었다.

늙은이와 남자들은 걸상에 앉아 큰 파초선(파초 잎 모양으로 된 부채)을 부치면서 한담을 나누고, 아이들은 뛰어다니거나 오구나무 밑에 쭈그리고 앉아 돌멩이 내기를 한다. 아낙네들은 김이 무럭무럭 나는 새까만 마른나물 찜과 누런 쌀밥을 날라 온다.

마침 강물 위로는 문인들의 술놀이 배가 지나갔고, 문호 한 사람이 시흥을 돋우어 이렇게 말했다.

"근심 걱정이 없는 것이 바로 농가의 낙이니라."

그러나 문호의 말은 사실과 맞지 않다. 왜냐하면 그들은 구근 할머니가 지껄이는 말을 듣지 못했기 때문이다. 구근 할머니는 몹시 화가 나서, 찢어진 파초선으로 걸상 다리를 두들기며 이렇게 말하는 것이었다.

"난 일흔아홉까지 살았으니, 실컷 살았다. 이놈의 집구석이 망하는 꼴은 보고 싶지 않으니……. 차라리 죽는 게 낫지. 이제 곧 밥을 먹을 텐데, 또 볶은 콩을 먹다니. 먹어서 망할 참이냐!"

그 때 증손녀인 육근이가 손에 콩볶음을 한 줌 쥐고 저쪽에서 달려오다가 할머니를 보고는 이내 강가 쪽으로 달려가 버렸다. 그리고는 오구나무 뒤에 숨어서 쌍뿔처럼 땋아 올린 자그마한 머리통을 쑥 내밀며 소리쳤다.

"빨리 죽지나 않고!"

구근 할머니는 나이는 비록 많았지만, 귀는 아직 심하게 먹지 않았다. 그러나 아이가 외친 말은 듣지 못하고 혼자서 계속 중얼거렸다.

"정말이지 대가 내려갈수록 점점 못나져 간다니까."

이 마을의 관습은 좀 별난 데가 있었다. 여자가 아이를 낳으면 저울에 무게를 달아, 그 근수를 애 이름으로 삼는 일이 많았다.

구근 할머니는 쉰 살의 생일 잔치를 치르고 난 뒤로는 불평꾼이 되어, 노상 투덜대는 것이다.

"내가 젊었을 때는 날씨도 지금처럼 덥지 않았고, 콩도 이렇게 딱딱하지 않았어. 아무튼 지금 세상은 글러먹었다."

육근은 증조 할아버지보다 세 근이나 모자랐고, 아버지 칠근에 비해서도 한 근이 적으니, 이것이 명백한 증거라는 것이다. 그녀는 다시 힘주어 말하는 것이었다.

"정말이지 대가 처질수록 나빠져만 가는구나."

그 때 마침 손자며느리인 칠근댁이 저녁밥 광주리를 안고 탁자 옆으로 오다가, 이내 밥 광주리를 식탁 위로 내던지며 투덜거렸다.

"할머니, 또 시작이군요. 육근이 태어났을 땐 무게가 여섯 근 하고도 닷 냥이 더 나갔잖아요. 그 때 할머니가 잰 저울은 싸구려 저울로, 만약 16냥짜리 정식 저울로 쟀더라면 우리 육근이는 틀림없이 일곱 근이 넘었을 거예요. 증조 할아버지나 할아버지가 진짜 아홉 근이나 여덟 근이었는지는 모르는 일이잖아요. 사용한 저울이 14냥짜리 가벼운 저울이었는지도 모를 일이고…….”

“대가 처질수록 나빠졌지.”

칠근댁이 미처 대답하기도 전에 손자 칠근이 골목길을 돌아서 왔다. 그러자 구근 할머니는 몸을 돌려 칠근에게 쏘아붙였다.

“에그, 이 등신! 어디 가서 뒈졌다가 이제야 오는 거냐? 밥 차려놓고 기다리는 사람 생각은 눈곱만치도 하질 않으니.”

칠근은 비록 농촌에서 살았지만, 어릴 때부터 이름을 떨쳐 보겠다는 야망을 품고 있었다. 그의 집안은 할아버지 대로부터 그에 이르기까지 3대째 호미자루를 잡은 일이 없으며, 집안 물림으로 그 또한 뱃사공을 업으로 삼고 있었다.

하루에 한 번씩, 아침에 노진을 떠나 성 안으로 갔다가 저녁이면 다시 노진으로 돌아왔다. 그런 이유로 제법 세상 물정도 알았다. 말하자면 어디에서는 번개 귀신이 요괴 지네를 토막쳐 죽였다든가, 어디에서는 처녀가 야차(모질고 악한 귀신)를 낳았다든가 하는 따위였다. 마을 사람들에게 있어 그는 제법 뛰어난 사람이었다.

여름에 밥을 먹을 때에는 등불을 밝히지 않는 것이 지금까지 지켜져 내려오고 있는 농가의 풍습이었으므로 늦게 돌아온 날은 마땅히 꾸중들을 각오를 해야 했다.

칠근은 한손에 상아 물부리 백동 담배통이 달린 여섯 자는 넉넉히 될 상비죽 담뱃대를 들고, 고개를 숙인 채 느릿느릿 걸어왔다. 그리고는 걸상에 앉았다. 육근도 그 틈에 나와 칠근 옆에 자리를 잡으며 ‘아버지!’ 하고 불렀다. 칠근은 대답하지 않았다.

“대가 처질수록 나빠져만 간다.”

구근 할머니가 뇌까렸다. 칠근은 아주 천천히 고개를 들고 한숨을 내쉬며 말했다.

"천자께서 등극(왕위에 오름)하셨다."

칠근댁은 한동안 잠자코 있다가, 무릎을 탁 치며 말했다.

"그것 참 잘됐군요. 그럼 또 임금님의 대사령(일반 사면의 속칭)이 내릴 것 아녜요."

칠근은 또 한 번 한숨을 내쉬었다.

"내야 변발이 없는걸."

"천자는 변발이 있어요?"

"글쎄, 있다고 하는군."

"당신이 그걸 어떻게 알아요?"

칠근댁은 궁금증이 나서 다그쳐 물었다.

"함형 술집 사람들이 다들 그렇게 말하더군."

칠근댁은 순간 일이 심상치 않음을 직감했다. 왜냐하면 함형 술집은 소식이 가장 빠르고 정확한 곳이기 때문이다. 그녀는 흘끗 칠근의 대머리에다 눈길을 보냈다. 그러자 갑자기 화가 치밀었다.

남편이 밉살스럽고도 원망스러웠으며, 그러다가 끝내는 절망적인 기분으로 변했다. 그녀는 사발에 밥을 담아 칠근 앞에 들이밀며 말했다.

"군소리 말고 어서 밥이나 먹어요. 울상을 짓는다고 해서 없는 변발이 생기겠어요?"

태양은 그 마지막 광선마저 거두어들였다. 강물 위로 은근히 찬 기운이 되돌아왔다. 흙마당에는 온통 젓가락과 대접 부딪는 소리가 울려 퍼지고, 사람들의 등줄기에서는 땀방울이 스며 나왔다.

칠근댁은 세 사발의 밥을 먹어치우고 나서 문득 머리를 쳐들었다. 순간 가슴 언저리가 두근두근 뛰기 시작했다. 오구나무 잎 사이로 작달막

하고 뚱뚱한 조칠 영감이 보랏빛 삼베 두루마기를 입고 통나무 다리를 건너 이쪽으로 오고 있었기 때문이다.

조칠 영감은 이웃 마을 무원 술집의 주인으로, 30리 안에서는 제일 뛰어난 학자이자 명사였다. 학문이 있었으므로 제법 옛 신하 같은 냄새도 풍기는 영감이었다.

그는 김성탄(명말·청초의 문예 비평가) 비평의 《삼국지》를 수십 권이나 가지고 있었는데, 언제나 걸상에 앉아 한 자 한 자 소리내며 읽었다. 그는 오호장(촉나라 유비 외 다섯 명장)의 성명을 말할 수 있을 뿐만 아니라, 황충의 자가 한승이고, 마초의 자가 맹기라는 것까지도 알고 있었다.

혁명 후 그는 변발을 머리 꼭대기에다 빙빙 감아 올려 마치 도사처럼 보였다. 늘 탄식하며 입버릇처럼 하는 말이, '만일에 조자룡(오호장의 한 사람)이 살아 있다면 세상이 이다지 어지럽게 되지는 않았을 텐데' 하는 것이었다.

칠근댁은 눈이 아주 예리했다. 그녀는 대번에 조칠 영감이 오늘 반들반들한 머리통에 새까만 변발을 늘어뜨리고 있는 것을 알아보았다. 그렇다면 천자께서 등극하신 게 분명하다. 따라서 반드시 변발을 늘여야 하며, 대머리인 칠근은 아주 위험하게 되리라.

그도 그럴 것이 조칠 영감은 여간해서는 삼베 두루마기를 입지 않았다. 최근 3년 동안 딱 두 번 입었을 뿐이다. 그 중 한 번은 그의 싸움 상대인 곰보 아사가 병이 들었을 때였고, 또 한 번은 그의 술집을 때려 부수었던 노 영감이 죽었을 때였다. 지금이 바로 그 세 번째라 그에게는 다행이지만, 그의 원수에게는 불행한 일이 일어날 것을 말해 주는 것이다.

칠근댁은 2년 전 남편이 술에 취해 조칠 영감에게 '말뼈다귀'라고 욕한 것을 알고 있다. 그러므로 이 순간 칠근에게 위험이 닥친 것을 감지하고 가슴이 마구 뛰기 시작한 것이다.

조칠 영감이 다가오자, 길가에 앉아서 밥을 먹던 사람들이 모두 일어나 젓가락으로 자기 밥그릇을 가리키며 말했다.

"영감님, 진지 좀 드시죠."

그러자 조칠 영감도 지나는 길에 고개를 끄덕이며 대답했다.

"고마워. 어서들 들게."

그는 곧장 칠근의 집 식탁이 있는 곳까지 왔다. 칠근네 식구들이 황급히 인사를 하자, 조칠 영감은 미소를 지으며 말했다.

"그냥들 들게."

그러면서도 영감은 그들의 밥과 반찬을 자세히 살폈다.

"냄새가 좋은 마른나물이군……. 그래, 소문은 들었겠지?"

조칠 영감은 칠근의 뒤에 서서 칠근댁을 마주 보며 말했다.

"천자께서 즉위하셨다지요?"

칠근이 물었다.

칠근댁은 조칠 영감의 얼굴을 보며 억지로 미소지으며 물었다.

"천자께서 즉위하셨으면 대사령은 언제쯤 내리게 될까요?"

"대사령? 글쎄, 조만간에 있게 되겠지."

조칠 영감은 여기까지 말하고는, 갑자기 언성을 높였다.

"그런데 당신네 칠근의 변발이 문제요. 변발을 어떻게 하겠소? 그게 가장 중요한 거야. 다들 알고 있겠지만 장발적의 난리 때에는 머리는 있으되 목은 없었고, 목을 남기려면 이름을 남기지 못했지……."

칠근이나 그의 아내로서는 글을 배운 적이 없으므로, 이러한 고전의 오묘함에 대해서는 전혀 알 길이 없었다. 그러나 학식이 높은 조칠 영감이 그렇게 말하는 것으로 보아, 사태가 매우 중대하며 돌이킬 수 없다는 것을 느꼈다. 마치 사형 선고를 받은 것처럼 귓속이 윙윙거리는 것이, 한 마디의 말도 할 수가 없었다.

"대가 처질수록 나빠진다니까……."

마침 울분이 치밀어오르던 구근 할머니가 이 때다 싶어 조칠 영감에게 지껄였다.

"요즘의 장발적들은 그저 남의 변발만 잘라 버린다니까. 중도 아니고 도사도 아닌 꼬락서니로 만들다니……. 예전의 장발적들은 어디 그랬소? 나는 일흔아홉까지 살았으니, 살 만큼 살았단 말이야. 예전의 장발적은 붉은 비단 한 필로 머리를 싸서 길게 늘어뜨려 발뒤꿈치까지 끌게 했지. 친왕께서는 노란 비단을 늘어뜨리셨고. 노란 비단, 붉은 비단, 노란 비단……. 어쨌든 나는 실컷 살았어, 일흔아홉 살이니."

칠근댁은 일어서며 혼잣말처럼 중얼거렸다.

"이걸 어쩌면 좋지? 많은 자식들이 온통 애비 하나만 쳐다보고 있는데……."

조칠 영감은 고개를 저으며 말했다.

"그래도 어쩔 수가 없어. 변발이 없으면 무슨 죄에 해당되는지 책에 조목조목 씌어 있거든. 죄인의 집에 식구가 몇 명 있든 그건 상관하지 않아."

칠근댁은 책에 씌어 있다는 말을 듣자 완전히 절망하고 말았다. 화는 나지만 어떻게 해야 좋을지 몰랐다. 그래서 느닷없이 칠근에게 화풀이를 했다. 그녀는 젓가락 끝으로 칠근의 콧등을 가리키며 지껄였다.

"이 등신, 머저리야! 고생을 사서 하는구나. 그러기에 내가 혁명할 때 다짐해 두었지. 배짱 부리지 마라, 성 안에는 들어가지도 말라고 말이야. 그런데도 이 머저리가 덮어놓고 성 안으로 가겠다고 고집을 부리더니, 끝내 기를 쓰고 들어가서는 남에게 변발을 잘렸으니…… 옛날에는 반짝반짝하고 새까만 명주실 같은 변발이었는데, 지금은 중도 아니고 도사도 아닌 꼴이 되어 버렸단 말이야. 저야 잘못을 저질렀으니 벌을 받는다지만, 남은 식구들은 어쩌란 말이야? 이 진작에 죽었어야 했을 웬수야……."

마을 사람들은 조칠 영감이 온 것을 보자, 서둘러 밥을 먹고 칠근네 식탁 주위로 모여들었다. 그 자신 출중한 인물이라 여기고 있던 칠근은 여편네가 많은 사람들 앞에서 면박을 주자, 체면이 말이 아니게 되었다. 하는 수 없이 칠근은 고개를 들고 더듬더듬 말하기 시작했다.

"당신, 지금은 제멋대로 지껄이지만, 그 때는 당신도……."

"이 진작에 죽었어야 할 원수야……."

몰려든 구경꾼들 중에서 팔일댁은 가장 성질이 온순한 여자였다. 두 살짜리 유복자를 안고 칠근댁이 지껄여 대는 모습을 지켜보다가, 다급하게 말참견을 했다.

"칠근댁, 그만해요. 신이 아니고서야 누가 앞일을 알겠소? 칠근댁도 그랬잖아요. 변발이 없어졌어도 조금도 이상하지 않다고. 게다가 아직 관청 나리들이 통지를 내리지도 않았는데……."

칠근댁은 미처 다 듣기도 전에 양쪽 귓불이 새빨갛게 달아올랐다. 그러더니 젓가락을 돌려 잡고, 이번에는 팔일댁의 코끝을 가리키며 달려들었다.

"아니, 지금 무슨 소리를 하는 거야? 팔일댁, 이래뵈도 누구보다 어엿한 사람이라고 생각하는 내가 어찌 그런 허튼 소리를 했겠수? 그 때 내가 꼬박 사흘 동안 울며 지낸 것을 다들 보았어. 망나니 육근이도 따라 울었지……."

수북하게 담긴 사발의 밥을 죄다 먹은 육근은, 빈 사발을 내밀며 밥을 더 달라고 소리쳤다. 칠근댁은 홧김에 육근의 쌍뿔머리 한복판을 젓가락으로 쿡쿡 찌르며 악을 썼다.

"누가 너더러 말참견 하랬어, 이 화냥질할 과부야!"

쨍그랑 하고 육근의 손에서 빈 사발이 땅으로 굴러 떨어졌다. 재수 없게도 사발은 벽돌 모서리에 부딪혀 산산조각이 나버렸다. 칠근은 벌떡 일어나 깨진 사발을 주워 맞춰 보았다. 그리고는 큰 소리로 '망할년!' 하며 육근의 뺨을 후려쳤다. 육근이 쓰러져 울기 시작하자, 구근 할머니가 육근의 손을 잡고 '대가 처질수록 나빠져만 간다'고 연거푸 중얼거리면서 저쪽으로 가 버렸다.

팔일댁도 화가 나서 크게 소리쳤다.

"칠근댁, 분풀이를 그런 식으로……."

조칠 영감은 처음부터 싱글거리면서 방관하고 있었다. 그러나 팔일댁이 '아직 관청의 나리로부터는 통지도 없었는데'라고 하자 적잖이 화가 치밀어올랐다. 이 때 이미 식탁을 돌아 나온 그는 노기를 띠며 팔일댁의 말을 받았다.

"분풀이를 남에게 씌우고 말고는 따져서 뭘 하나? 군사들이 이제 곧 들이닥칠 텐데. 모두들 잘 기억해 두라고. 이번에 황제를 받들고 나선 분이 바로 장 장군님이야. 장 장군은 연나라 사람 장익덕(장비)의 자손이야. 장군의 열여덟 자 사모창은 만 명이라도 당해 낼 수 없지."

그는 동시에 두 주먹을 불끈 쥐고, 보이지 않는 사모창을 움켜쥔 것 같은 시늉을 해 보이며 팔일댁 앞으로 두세 걸음 다가갔다.

"그대가 장군을 막을 수 있겠는가?"

분해서 아기를 안고 부들부들 떨고 있던 팔일댁은, 조칠 영감이 땀이 번들거리는 얼굴로 눈을 부라리며 덤벼드는 것을 보고 깜짝 놀랐다. 팔일댁은 왈칵 겁에 질려 획 돌아서서 달아나기 시작했다. 조칠 영감도 뒤쫓아갔다.

구경꾼들은 모두 팔일댁이 공연한 참견을 했다고 나무라면서 길을 터 주었다. 변발을 잘랐다가 다시 기르기 시작한 사람들은 조칠 영감에게 들키지 않으려고 황급히 몸을 숨겼다. 조칠 영감은 자세히 살피려고도 하지 않고 사람들 앞을 지나 오구나무 그늘로 들어갔다.

"그대가 장군을 막을 수 있겠는가."

그는 이렇게 중얼거리면서 통나무 다리를 건너 유유히 사라졌다.

사람들은 멍청히 서서 저마다 속으로 자기가 장익덕을 당할 수는 없다고 생각했다. 따라서 칠근은 끝내 목숨을 잃게 될 것이라고 단정지었다. 칠근이 천자의 법을 어겼다는 것은 기정 사실이 되고 말았다.

돌이켜 보면 칠근이 전에 성 안의 소식을 들려줄 때, 긴 담뱃대를 물고 거드름을 피우지 말았어야 했다. 그러므로 칠근이 벌을 받게 된 것에 대해 사람들은 은근히 통쾌한 기분마저 들었다. 그들은 의논이라도 해 보고 싶은 생각이 들었으나, 별로 이야기할 거리도 없는 것 같았다.

모기가 한바탕 사람들의 벗은 몸에 달려들었다가는 다시 오구나무 밑으로 떼를 지어 몰려갔다. 사람들은 슬그머니 흩어져 집으로 돌아가 대문을 걸고 자리에 들었다.

칠근댁도 투덜거리면서 그릇이며 탁자를 정리하고, 역시 집으로 들어가 문을 잠그고 잤다.

칠근은 깨진 사발을 들고 집으로 돌아와 문지방에 걸터앉아 담배를 피웠다. 마음이 뒤숭숭해진 그는 담배를 빠는 것마저 잊고 있었다. 상아 물부리가 달린 여섯 자짜리 상비죽 담뱃대의 백동 담배통의 불빛이 점점 흐려져 갔다. 그가 생각하기에도 사태는 매우 절박했다. 뭔가 좋은 방법을 생각해 내야겠는데, 머리가 띵해서 도무지 종잡을 수가 없었다.

"변발은 어떻게 하지, 변발은? 열여덟 자의 사모창. 대대로 세상이 나빠져만 가는구나. 천자가 즉위했다. 깨진 사발은 성 안에 가서 붙여 와야지. 누가 이것을 막을 수 있겠는가. 책에 조목조목 씌어 있다니, 빌어먹을!"

다음 날 아침 일찍 칠근은 언제나처럼 노진에서 배를 부려 성 안에 갔다가 저녁 무렵에 노진으로 되돌아왔다. 그는 여섯 자 길이의 상비죽 담뱃대와 밥사발을 들고 있었다. 저녁상 앞에서 그는 구근 할머니에게, '주발을 성 안에서 붙여 왔는데 깨진 자리가 너무 커서 구리 못이 열여섯 개나 들었다, 못 하나에 서 푼씩 합이 마흔여덟 푼이나 들었다'고 말했다.

구근 할머니는 아주 못마땅해하며 말했다.

"갈수록 세상 꼴이 더 나빠져만 간다. 나는 실컷 살았다. 못 하나에 서 푼이라니, 옛날 못도 그랬나? 옛날에는 못 하나쯤이야……. 나는 일흔아홉까지 살았다만……."

그 뒤로도 칠근은 예전처럼 매일 성 안으로 갔지만, 집안 공기는 어쩐지 침울하기만 했다. 마을 사람들은 거의 그를 피해 다녔고, 다시는 성 안 소식을 들으러 오지도 않았다. 칠근댁도 늘 못마땅한 얼굴을 하고 툭하면 그를 '죄인' 취급했다.

열흘 정도 지나서 칠근이 성 안에서 집으로 돌아오자, 아내가 아주 유쾌한 얼굴을 하고 그에게 물었다.

"당신, 성 안에서 무슨 소식 못 들었수?"

"아무것도."

"천자는 즉위를 하셨어요?"

"그런 말은 없던데."

"함형 술집에도 말하는 이가 없었수?"

"없었어."

"아마도 천자는 즉위를 하지 않은 모양이에요. 오늘 내가 조칠 영감

가게 앞을 지나가면서 보니까, 영감이 책을 읽고 있었는데 말이죠……. 변발은 다시 말아 머리통 위로 빙빙 감아 올렸고, 두루마기도 안 입고 있더라니까요."

"……."

"어때요? 즉위를 하지 않았다는 뜻이겠죠?"

"글쎄, 하지 않은 모양이지."

이제 칠근은 또다시 칠근댁과 함께 마을 사람들로부터 상당한 존경을 받는 몸이 되었다. 여름이 되자 그들은 여전히 자기 집 흙마당에서 밥을 먹었다. 사람들은 서로 만나기만 하면 벙글거리며 인사를 나누었다.

구근 할머니는 벌써 여든 살의 생일 잔치를 지냈으나, 여전히 불평이 많으며 건강했다. 육근의 쌍뿔머리는 이제 길게 땋아 내려 변발이 되어 있었다. 육근은 최근 전족을 했지만 칠근댁이 집안일 하는 것을 도왔으며, 열여섯 개의 구리 못으로 땜질한 사발을 들고 흙마당을 뒤뚱거리며 걸어다니고 있었다.

(1920년 10월)

두발의 고사

일요일 아침 나는 묵은 일력을 한 장 찢고, 새로운 일력을 들여다보면서 말했다.

"음, 10월 10일이라……. 오늘이 쌍십절(중화민국에서 1911년 신해혁명과 1912년의 정부 수립을 기념하는 날로, 매해 10월 10일을 이름)이군. 그런데 여기에는 안 나와 있네!"

마침 선배인 N씨가 놀러 왔다가 내 말을 듣더니, 아주 불쾌한 듯이 말했다.

"그들이 옳아! 그들이 기억하지 못했다 해서 자네가 어쩔 건가. 또 자네가 그것을 기억한들 그게 무슨 소용인가?"

N씨는 본래 성격이 괴팍해서 늘 하찮은 일에 화를 잘 냈고, 엉뚱한 소리도 잘 했다. 그럴 때면 나는 그가 혼자 지껄이게 내버려 두고 한 마디도 대꾸하지 않았다. 그러면 그는 혼자 실컷 떠들다가 슬며시 입을 다무는 것이었다.

그는 말했다.

"내가 가장 경탄한 것은 북경의 쌍십절 광경이야. 아침에 경찰이 문 앞에 와서 '기를 꽂아!' 하고 명령하면 '네, 그러지요!' 하고 거의 모든 집에서 한 사람씩 걸어나와 얼룩덜룩한 깃발을 내걸지. 하루 종일 기를 달아 두었다가, 밤이 되면 기를 내리고 문을 닫는데, 간혹 잊어

버리고 다음 날까지 기를 꽂아 두는 집들도 있다네. 그들은 기념을 망각했고, 기념도 그들을 잊은 거지! 나도 기념을 망각한 사람 중의 하나야. 어쩌다 기념을 하게 되면 최초의 쌍십절 전후의 일들이 마음에 걸려 안절부절못하게 되는 걸세. 또 여러 사람의 얼굴이 눈앞에 떠오르지. 10여 년을 분투하던 몇몇 젊은이들은 어둠 속에서 날아온 한 방의 총알에 목숨을 잃었지. 또 어떤 젊은이들은 감옥에 갇혀 고문을 당했고. 큰 뜻을 품었다가 홀연히 종적을 감추어 그 시체마저 찾지 못한 젊은이들도 있다네. 그들 모두 세상의 냉소와 박해, 모함 속에서 일생을 보냈다네. 지금은 그들의 무덤도 망각 저편으로 사라져 가고 있는 형편일세. 나는 이런 일을 도저히 기념할 수가 없어. 우리, 좀더 유쾌한 일을 생각해 내어 이야기를 나누세."

N은 갑자기 미소를 지었다. 그런 다음 손으로 얼굴을 문지르면서 큰 소리로 말했다.

"내가 가장 즐거웠던 일은, 최초의 쌍십절 이후로는 내가 길을 걸어도 아무도 나를 보고 욕하거나 비웃지 않게 된 일이라네. 자네도 잘 알겠지만, 머리털은 우리 중국인들의 보배인 동시에 원수지. 옛날부터 지금까지 얼마나 많은 사람들이 머리털로 인해 아무런 가치도 없는 고통을 당해야 했나? 우리 조상들은 머리털 같은 것은 그다지 중시하지 않았던 모양이야. 형법으로 볼 때 가장 중요한 것은 물론 머리였지. 그래서 최고의 형벌은 사형이었네. 다음으로 중요한 게 생식기였어. 그러므로 궁형(음경을 자르는 형벌)이나 유폐(자궁을 폐색하는 형벌)도 무시무시한 형벌이었지. 곤(머리털을 자르는 형벌)은 아주 경미한 형벌일세. 그렇게 생각할 때 얼마나 많은 사람들이 머리털이 없는 것으로 인해 한평생 사회로부터 유린당해 왔는지 모른단 말야. 우리가 혁명을 이야기할 때 《양주십일기》라든가, 《가정도성기략》(둘

다 명나라가 망할 때 만주족이 한민에게 가한 잔인함을 기록한 책)을 떠들어 대지만, 사실 그것은 수단에 불과하네. 솔직히 말해서 당시 중국인들이 반항한 것은 망국 때문이라기보다는, 변발을 늘어뜨리는 게 싫어서였다고 할 수 있네. 완강하게 반대하던 백성들은 모조리 살해되었고 명나라의 유로(늙은 신하)들은 늙어서 죽으니, 결국 누구나가 변발을 늘이게끔 되어 버렸지. 그 무렵 홍양(홍수전과 양수청)의 난이 일어났다네. 나도 할머니한테 들은 이야기네만, 그 당시에는 백성 노릇 하기도 힘들었던 모양이야. 머리를 기른 사람은 송두리째 관군에게 살해되었고, 변발을 늘어뜨린 사람은 장발적(태평천국군을 가리키는 말로, 이들은 한민족 고유의 풍습에 따라 머리를 기르고 있었음)에게 살해되었다네. 얼마나 많은 중국인들이 이 아프지도, 가렵지도 않은 머리털 때문에 고생을 하고 수난을 당했는지 모른다네!"

N씨는 두 눈으로 천장을 응시한 채 무언가를 생각하는 것 같더니 다시 말을 이었다.

"하지만 누가 짐작이나 했겠나? 머리털로 인한 수난의 역사가 나에게도 다가올 것이라는 걸 말야. 나는 외국으로 유학을 가자마자 곧 변발을 잘라 버렸다네. 꼭 무슨 깊은 뜻이 있어서가 아니라, 단지 불편해서 그랬던 것뿐이야. 그러자 뜻밖에도 변발을 말아 올린 몇몇 유학생들이 나를 미워하기 시작하더니, 감독관까지도 크게 노해서는 나의 관비 지급을 취소시키고 중국으로 돌려보내겠다고 했다네.

그런데 며칠 안 있어 이 감독관 자신이 도리어 남에게 변발을 잘리고 도망쳐 버렸지. 그의 변발을 자른 사람들 중의 한 사람이 바로 《혁명군》을 지은 추용(청말 일본으로 유학했던 혁명가)이었네. 추용은 이 일 때문에 유학을 계속 할 수 없어 상해로 돌아왔지. 그리고는 조계의 감옥에서 죽었어. 자넨 벌써 잊었을 거야. 몇 해 지나면서 우리 집은 형편이 어려워져서 밥벌이를 하지 않으면 굶어죽을 판이었어. 하는 수 없이 나는 중국으로 돌아왔네. 상해에 도착하자마자 나는 곧 가짜 변발을 샀다네. 당시 가격이 2원이었는데, 그걸 머리에 쓰고 집으로 돌아갔어.

어머니는 별 말씀 하지 않으셨지만, 다른 사람들은 나를 보자마자 변발부터 살피더군. 그것이 가발이라는 것을 알아 낸 그들은 코웃음을 치며, 이건 사형감이라며 나를 고발하려고까지 했다네. 나중에 혹시 혁명당의 모반이 성공할지도 모른다는 생각에 주춤해서 그만두긴 했지만. 그래서 나는 속이는 것보다는 사실대로 솔직하게 말하고 다니는 편이 훨씬 후련하다고 생각했어. 나는 과감하게 가발을 집어던지고 양복을 입고 거리를 다녔네. 가는 곳마다 웃고 욕하는 소리가 들리더군.

어떤 사람은 내 뒤를 따라와서 '이 건방진 양도깨비!' '에이, 가짜 양놈!' 하고 욕을 해 대더군. 그래서 이번에는 양복을 입지 않고 긴 상의를 입었더니, 그들은 더욱 심하게 욕을 하더군. 곰곰이 생각한 끝에 나는 손에 단장을 들고, 그것으로 사람들을 힘껏 후려쳤어. 그러자 그들은 점차 욕을 하지 않게 되었다네. 하지만 한 번도 후려친 적이 없는 곳에 가면 역시 욕을 얻어먹었지. 이 일은 나를 매우 슬프게 했어. 지금도 때때로 기억이 난다네. 유학 시절에 신문에서 본다 박사가 동남아시아와 중국을 여행했다는 기사를 본 적이 있는데, 그는 중국어와 말레이시아 어도 몰랐다네. 기자들이 '말도 통하지 않는데 어떻게 여행을 하셨습니까?' 하고 질문하자 그는 단장을 쳐들고 '이것이 놈들의 말이야, 이것만 있으면 다 알아듣지!' 했다는 거야. 그런데 누가 알았겠나? 나 자신도 모르는 사이에 내가 바로 그 같은 행동을 했고, 그들도 모두 잘 알아듣더란 말이야.

선통(청말의 연호) 초년에 나는 고향 중학교의 학감이 되었어. 그런데 동료들은 나를 슬슬 피했고, 관료들은 관료들대로 나를 경계하는 형편이었지. 그 때 나는 종일 얼음 창고에 앉아 있는 듯, 또는 처형장 근처에 서 있는 듯했었네. 그게 모두 단지 변발이 없었기 때문이었던 거야.

어느 날, 몇 명의 학생이 별안간 내 방에 와서 '선생님, 저희들도 변발을 자르려고 하는데요.' 하길래 나는 '그건 안 돼!' 하고 말했지. '변발이 있는 게 좋습니까, 없는 게 좋습니까?' '없는 게 좋지…….' '그런데 어째서 안 된다고 하십니까?' '자를 것까진 없어. 아직 너희들은 자르지 않는 게 좋아……. 조금만 기다리도록 해.' 그러자 학생들은 아무 대꾸도 없이 입을 삐쭉하고 나가더군. 그 뒤 결국에는 변발을 자르고 말았지. 자, 그러자 학교에서는 난리가 났네. 모두들 시끄럽게 떠들어 댔지만, 나는 모르는 척했어. 그들이 머리를 깎은 채 다른 변발 학생과 같은 교실에 들어가게 내버려 두었지. 그런데 그만 변발 자르는 병이 전염되고 말았다네. 사흘째 되는 날엔 사범학교 학생이 여섯 명이나 변발을 자르는 바람에 그날 밤으로 제적되었지. 이들은 학교에 머무를 수도, 집으로 돌아갈 수도 없게 되었는데, 최초의 쌍십절이 지난 지 한 달 만에야 겨우 범죄자의 낙인이 지워졌다네.

나 말인가? 역시 마찬가지였네. 민국 원년 겨울에 북경에 왔을 때도 사람들에게 몇 차례 욕을 먹었지. 그 뒤 나를 욕하던 자들도 경찰에 끌려가 변발을 잘렸고, 그 때부터 나는 남에게 욕을 먹지 않게 되었다네. 그러나 고향으로는 끝내 가지 않았지."

N씨는 득의양양한 표정을 짓다가 이내 우울한 표정으로 바뀌었다.

"지금 자네들 이상주의자들은 여자도 머리를 잘라야 한다고 외치고 있는데, 아무런 소득도 없이 고통 받는 사람들만 만들어 내고 있어.

머리를 자른 여인들이 그로 인해 학교에 입학하지도 못하거나 또는 제적당하고 있지 않은가? 개혁도 좋지만 무기가 어디 있나! 일하면서 공부한다? 그럼 공장은 어디에 있지? 역시 머리를 늘어뜨린 채로 시집갈 궁리나 하는 편이 행복할 거야. 공연히 자유니 평등이니 하는 말을 외쳐 봤댔자 한평생을 고통으로 보내야 할 테니까.

나는 아르시바셰프(러시아의 소설가)의 말을 빌려 자네들에게 묻고 싶어. 자네들은 황금 시대의 출현을 자손에게 물려주겠다고 약속했는데, 자신에게는 과연 무엇을 주겠는가? 아아, 조물주의 가죽 채찍이 중국의 등골에 와 닿지 않는 한 중국은 영원히 한결같은 중국일 것이며, 결코 자신의 터럭 하나라도 고치려 하지 않을 걸세. 자네들은 애당초부터 입 속에 독이빨이 없거늘 어쩌자고 악착같이 이마에 '독사'라는 커다란 글자를 써 붙이고서, 거지를 끌고 와서 때려 죽이려고 한단 말인가?"

N씨의 말은 점점 더 부조리해졌다. 그러나 그는 내가 듣기 싫어하는 기색임을 알아차리고는, 곧 입을 다물고 일어나 모자를 집어 들었다. 나는 물었다.

"돌아가시려오?"

"그래, 비가 올 것 같군."

나는 묵묵히 그를 문턱까지 배웅했다. 그는 모자를 쓰며 말했다.

"또 만나세. 귀찮게 굴어서 미안하네. 다행히 내일은 쌍십절이 아니니, 우리는 이 모든 것을 잊어도 좋을걸세."

(1920년 10월)

고 향

　나는 혹독한 추위를 무릅쓰고 2천여 리나 떨어진 먼 곳에서, 20여 년
만에 고향으로 돌아왔다. 때는 마침 한겨울이었다. 고향이 점점 가까워
짐에 따라 날씨는 잔뜩 흐려지고, 찬바람이 '씽씽' 소리를 내며 선실 안
에까지 불어닥쳤다.

　선창 사이로 밖을 내다보니 어둠침침한 하늘 밑에 쓸쓸하고 초라한
마을이 생기라고는 조금도 없이 여기저기 가로놓여 있었다. 그러자 느
닷없이 슬픔이 치밀어올랐다. 아! 이것이 내가 20년 동안 못내 그리워
하던 고향이란 말인가?

　내가 기억하고 있던 고향은 결코 이런 모습이 아니었다. 내 고향은
훨씬 더 아름다웠다. 그런데 그 아름다움을 기억해 내고, 좋은 점을 표
현해 보려 하면 어느 새 영상은 사라져 버리고 만다. 그러면서도 전에
도 역시 이랬을지도 모른다는 생각이 든다. 그래서 나는 스스로를 위로
하면서 생각한다. 고향이란 본래 이랬던 것이다. 진보가 없는 만큼 내가
느낀 것과 같은 슬픔도 없다. 다만 나 자신의 심경이 변했기 때문일 것
이다. 왜냐하면 나의 이번 귀향은 그다지 즐거운 것이 아니기에.

　실은 이번에 나는 고향과 이별을 하러 온 것이다. 우리 가족들이 오
랫동안 살아 왔던 옛집은 이미 남에게 팔기로 이야기가 되어 있었다.
집을 비워 주어야 할 기한이 금년 말까지라서 정월 초하루가 되기 전에

고향집과 이별을 나누고, 또 내가 밥벌이를 하고 있는 타향으로 이사를 가야만 하는 것이다.

이튿날 아침 일찍, 나는 황폐해 보이는 옛집 입구에 다다랐다. 기와지붕 위에는 잡초가 무성했다.

시들고 부러진 풀줄기가 바람에 떨고 서 있는 모습이 이 집의 주인이 바뀌어야 하는 운명을 말해 주는 것 같았다. 함께 살던 친척들은 거의 떠났는지 매우 쓸쓸했다. 우리 집 모퉁이에 이르렀을 때 어머니가 벌써 마중을 나오셨고, 여덟 살 먹은 조카 꽝아도 뒤따라나왔다.

어머니는 무척 반가워하셨지만 어쩐지 착잡한 심정을 숨기지는 못하셨다. 내게 차를 따라 주면서도 이사 이야기는 꺼내지 않으셨다. 나를 처음 본 꽝아는 한쪽 구석에 멀찍이 서서 나를 지켜보고 있었다.

마침내 우리는 이사에 대한 의논을 시작했다. 나는 벌써 이사갈 셋집을 계약했고 세간도 조금 장만했으나, 그 밖의 것은 이 집에 있는 세간을 팔아서 장만해야 할 것이라고 말씀드렸다. 어머니도 좋다고 하셨다. 짐도 대강 싸 놓았고, 운반하기 어려운 가구들은 반쯤 팔아 버렸으나 돈은 얼마 되지 않는다고 말씀하셨다.

"2, 3일 푹 쉬고 나서 친척 어른들께 인사를 여쭙고 떠나기로 하자."

"네!"

"그리고 윤토 얘긴데 말이다. 그 애가 집에 올 때마다 네 이야기를 물어 보는 것이, 무척 보고 싶은 눈치더라. 도착할 날짜를 알려 줬으니, 아마 곧 올지도 모르지."

그 때 내 머릿속에 문득 한 폭의 영상이 떠올랐다. 푸른 하늘에는 황금빛 만월이 걸렸고, 그 아래 모래땅에는 끝도 보이지 않을 만큼 파란 수박이 덩굴져 있다. 그 사이에 열두 살쯤 된 소년이 목에 은목걸이를 걸고, 손에 든 쇠작살로 차(오소리나 너구리의 일종으로 소흥 지방의 방

언. 원래 음만 있던 것을 루쉰이 글자로 만들었다 함)를 힘껏 찔렀다.

그 짐승은 몸을 홱 돌려 소년의 가랑이 사이로 빠져 나가 달아나 버린다.

그 소년이 바로 윤토였다. 내가 그를 알게 된 것은 불과 열서너 살 무렵이었으니 지금으로부터 30년 저편의 일이다. 그 땐 아버지도 살아 계신데다 집안 형편도 넉넉해서, 나는 말하자면 어엿한 도련님이었다.

그 해에는 우리 집이 큰 제사를 지낼 차례였다. 이 제사는 삼십 몇 년 만에 한 번 돌아오는 것이기 때문에 매우 엄숙하게 지냈다. 정월에 조상에게 제사 지낼 때에는 제물과 제관도 무척 많고 제기도 훌륭한 것으로 쓰기 때문에, 제기를 도둑 맞지 않도록 조심해야 했다.

우리 집에는 망월이 단 한 사람 있었다(우리 고향에서는 남의 일을 해 주는 사람을 세 가지로 분류하는데, 1년 동안 집에서 일을 하는 사람을 장년이라 하고, 그날 그날 남의 일을 해주는 사람을 단공이라 하며, 자기도 농사를 지으면서 과세할 때나 단오절을 지낼 때, 도조를 거둘 때만 일해 주는 사람을 망월이라 했다). 그는 어찌나 바쁜지, 그의 아들 윤토에게 제기를 지키도록 하는 것이 좋겠다고 아버지께 말씀드렸다.

아버지는 그것을 허락하셨고, 나도 무척 기뻐했다. 나는 윤토라는 이름을 그 전부터 들어 알고 있었다. 그 애는 나와 거의 같은 또래였던 것이다. 그는 윤달에 나서, 그것도 오행 중에서 토가 빠진 날에 태어났다고 해서, 그의 아버지가 윤토라는 이름을 붙였다고 한다. 그 애는 덫을 놓아 참새를 잘 잡았다.

그래서 나는 매일 새해가 오기만을 기다렸다. 설날이 되면 윤토도 오기 때문이다. 드디어 연말이 되었는데, 어느 날 어머니께서 윤토가 왔다고 일러 주셨다. 나는 바로 뛰어나가 보았다.

그는 마침 부엌에 있었다. 붉고 둥근 얼굴에, 머리에는 조그마한 털모자를 쓰고, 목에는 번쩍번쩍하는 은목걸이를 하고 있었다. 이것만 보더라도 그의 아버지가 아들을 얼마나 사랑하고 있는지를 알 수 있었다. 그가 죽을까 봐 신령과 부처님께 기원하여 목걸이로 그를 지켜주고 있었던 것이다.

그는 사람을 보면 몹시 수줍어했는데, 나만은 부끄러워하지 않았고, 옆에 아무도 없을 때에는 말을 걸어 왔다. 한나절도 못 되어 우리는 친해졌다.

우리가 그 때 무슨 이야기를 했는지는 기억나지 않는다. 다만 윤토가 성 안에 와서 지금까지 보지 못했던 것을 구경했다고 기뻐했던 것만 또렷하게 기억날 뿐이다.

이튿날 내가 새를 잡아 달라고 조르자, 그는 이렇게 말했다.

"안 돼. 눈이 많이 와야 해. 우리 동네에선 모래밭에 눈이 쌓이면 눈을 쓸어 빈 터를 만든 다음, 작대기로 커다란 대소쿠리를 받쳐놓고, 그 속에 쌀겨를 뿌려 놓는단다. 새들이 날아와서 쪼아 먹을 때쯤, 작대기에 잡아 맨 줄을 잡아당기기만 하면 그 새들은 몽땅 소쿠리에 갇히게 되지. 뭐든지 다 잡을 수 있어. 참새, 긴꼬리닭, 비둘기, 흰눈썹뜸부기……."

그래서 나는 눈이 오기를 몹시 기다렸다.

윤토는 또 이런 말을 했다.

"지금은 추워서 안 되지만, 여름에 우리 동네에 놀러 와라. 우린 낮에는 바닷가로 조개 껍질을 주우러 간단다. 빨간 것, 파란 것, 뭐든지 다 있어. 도깨비조개, '부처님 손 조개'도 있지, 밤에는 아버지랑 수박밭을 지키러 가는데, 너도 가자."

"도둑을 지키니?"

"아냐. 길 가던 사람이 목이 말라 수박을 따먹는 일 따위는 우리 동네에서는 도둑질로 여기지 않아. 우리가 지켜야 할 건 너구리나 고슴도 치, 차 같은 거야. 달밤에 바스락거리는 소리가 나면 그건 차가 수박을 갉아먹는 소린데, 그러면 바로 작살을 들고 살금살금 걸어가서……."

나는 그 때 '차'라는 것이 어떤 것인지 잘 몰랐다. 다만 강아지같이 생긴, 아주 흉악하고 사나운 짐승으로 생각되었다.

"그놈이 사람을 물지는 않니?"

"작살이 있는데, 뭐! 살금살금 다가가서 차를 발견하면 당장 찔러야 해. 그런데 그놈은 아주 약아서 도리어 사람 쪽으로 달려와서 가랑이 밑으로 싹 빠져 나가 버려. 그놈의 털은 기름처럼 매끌매끌하거든……."

그 때까지도 나는 세상에 그처럼 신기한 일이 많은 줄 몰랐다. 바닷가에는 오색 조개껍질이 있고, 수박에도 그렇게 위험한 내력이 있을 줄이야! 그 때까지 나는 과일전에서 파는 수박밖에는 몰랐다.

"우리 동네 모래밭엔 말이야, 밀물이 밀려올 때면 날치들이 펄펄 뛴 단다. 모두 개구리처럼 다리가 두 개씩 달렸지……."

아아! 윤토의 마음속에는 내 또래의 아이들이 알지 못하는 신기한 이야기들이 가득 차 있었다. 내 친구들은 아무것도 모른다. 윤토가 바닷가에 있을 때, 그 애들은 나처럼 마당의 높은 담 사이로 보이는 네모난 하늘만 바라보고 있는 것이다.

설이 지나가자, 윤토는 집으로 돌아가지 않으면 안 되었다. 나는 섭섭해서 큰 소리로 엉엉 울었다. 그 애도 부엌에서 울며 나오려고 하지 않았다. 그러나 그는 기어코 그의 아버지에게 끌려가 버렸다.

얼마 후 그는 자기 아버지에게 부탁해서 조개 껍질 한 꾸러미와 아름다운 새의 깃털을 나에게 보냈다. 나도 두어 번 그 애에게 선물을 보냈는데, 그 후로는 다시 만나지 못했다.

그런데 지금 어머니에게서 그의 이야기를 듣자, 어린 시절의 추억이 번갯불처럼 되살아나 나의 아름다운 고향을 되찾은 것만 같았다.

"거 참 반갑군요. 윤토는…… 어떻게 지냅니까?"

"윤토 말이냐? 그 애 형편도 영 말이 아닌가 보더라……."

어머니는 그렇게 말씀하시면서 밖을 내다보셨다.

"누가 또 온 모양이다. 가구를 사러 왔다면서 제멋대로 물건을 집어가 버리니, 잠깐 나가 봐야겠다."

어머니는 일어나서 밖으로 나가셨다. 문밖에서 몇몇 여자들의 목소리가 들려왔다. 나는 심심풀이로 굉아를 불러 글씨를 쓸 줄 아는지, 이사 가는 게 좋은지 물어 보았다.

"기차를 타고 가요?"

"그래, 기차를 타고 가지."

"배는요?"

"처음에는 배를 타고……."

그때 갑자기 날카롭고 기이한 목소리가 들려왔다.

"어머나! 많이도 변했구나! 수염도 기르고!"

깜짝 놀라 고개를 드니, 광대뼈가 튀어나오고 입술이 얇은 오십 전후의 여인이 내 앞에 서 있었다.

양손을 허리에 짚고 치마도 안 입은 채 두 다리를 벌리고 선 모양이 꼭 제도 기구 중 다리가 가느다란 컴퍼스(중국 여자들은 전족을 하고 끝이 뾰족한 신발을 신었음)를 연상시켰다.

"나를 몰라보겠수? 옛날에는 안아 주기도 했는데!"

나는 더욱더 당황했다. 다행히 어머니가 들어와서 이렇게 거들었다.

"이 애가 오랫동안 객지로 돌아다니느라 모두 잊었나 보우. 애, 너 생각 안 나니?"

하며 나를 향해 물었다.

"우리 집 건너편에 사는 양씨 집 아주머니다. 왜 그 두부 가게를 하던!"

아아, 그제야 나도 생각이 났다. 내가 어렸을 때 길 건너편 두부 가게에 이 양씨 아주머니라는 이가 하루 종일 앉아 있었다. 사람들은 그녀를 두부집 서시(춘추 시대 월의 미인)라고 불렀었다.

하지만 그 때는 분칠도 하고 광대뼈도 튀어나오지 않았으며 입술도 이렇게 얇지 않았었다. 또 하루 종일 앉아 있었기 때문에 이러한 컴퍼스 같은 모습은 기억에 없다.

그 당시 사람들은, 이 여자 때문에 두부 가게가 번창한다고 말했다. 그러나 나이가 어렸던 탓인지, 그녀에 대해 별로 생각한 일이 없었기 때문에 완전히 잊어버렸던 것 같다.

그런데 컴퍼스는 몹시 기분이 나빴던지, 나폴레옹을 모르는 프랑스인이나, 워싱턴을 모르는 미국인을 비웃듯이 냉소하며 말했다.

"잊었수? 하긴, 귀인들은 워낙 눈이 높으시니까……."

"그럴 리가 있나요……. 저는……."

나는 당황하여 일어서며 말했다.

"그러면 내 좀 말하겠소. 댁은 부자가 되었고, 이런 잡동사니는 나르기도 귀찮을 텐데, 가져가 무엇에 쓰려우? 나나 주구려. 우리 같은 가난뱅이들이야 아주 요긴하게 쓸 테니."

"부자가 되다니요. 전 이런 거라도 팔아서……."

"세상에, 지사(도지사)까지 되었다면서 가난하다고? 첩을 셋이나 두고, 출입할 때는 팔인교(여덟 사람이 메는 가마)를 타고 다니면서도 출세한 것이 아니라고? 흥, 날 속일 생각일랑 마시우."

나는 더 말해 보았자 아무 소용이 없겠기에 잠자코 서 있었다.

"원, 부자가 되면 더 인색해진다더니. 하긴 저렇게 인색하니 부자가 될 수밖에……."

컴퍼스는 화가 나서 나불거리며 천천히 밖으로 걸어나갔다. 나는 컴퍼스가 나가면서 어머니의 장갑을 바지춤에 쑤셔넣는 것을 보았다.

그 뒤로도 근처의 일가 친척들이 나를 찾아왔다. 나는 그들을 접대하는 틈틈이 짐을 꾸렸다. 이렇게 해서 3,4일이 지나갔다.

날씨가 몹시 추운 어느 날 오후였다. 점심을 먹은 뒤, 차를 마시고 있던 나는 밖에서 인기척이 나기에 돌아다보았다. 깜짝 놀란 나는 부리나케 일어났다.

윤토가 온 것이다. 나는 첫눈에 그를 알아보았으나, 그는 기억 속의 윤토와는 전혀 다른 사람이었다. 키는 배나 더 자랐고, 예전의 붉고 둥글던 얼굴은 이미 누렇게 변해 있었다. 윤기 없는 얼굴에는 주름이 깊게 패어 있었다.

눈도 그의 아버지처럼 언저리가 모두 부어서 불그레했다. 바닷가에서 농사짓는 사람들은 온종일 바닷바람을 쐬기 때문에 대개 이렇다는 것쯤은 나도 알고 있었다. 그는 낡은 털모자를 쓰고 아주 얇은 솜옷만을 입고 있었기 때문에 온몸을 부들부들 떨었다.

또 손에는 종이 봉지 하나와 기다란 담뱃대를 들었는데, 그 손도 내가 기억하고 있던 둥글고 혈색 좋은 손이 아니었다. 거칠고, 마디마디 갈라진 것이 마치 소나무 껍질 같았다.

나는 매우 흥분하여 무슨 말을 해야 좋을지 몰라, 그저 나오는 대로 외쳤다.

"아아! 윤토 형……. 왔구려……."

연달아 많은 말들이 꿰어 놓은 구슬처럼 터져 나오려 했다. 흰눈썹뜸

부기며 날치, 조개 껍데기, 차……. 그러나 그런 영상들이 꽉 막힌 것처럼 머릿속을 뱅뱅 돌 뿐, 입 밖으로 튀어나오지는 않았다.

그는 우뚝 서 있었으나, 표정에는 기쁨과 쓸쓸함이 함께 묻어나 있었다. 입술을 달싹였으나 말소리는 들리지 않았다. 그는 별안간 공손한 태도로 이렇게 말했다.

"나리!"

나는 순간 소름이 끼치는 것 같았다. 서글프게도 우리 둘 사이에는 두터운 장벽이 가로놓인 것이다. 나도 더 이상 말을 못했다.

"수생아, 어서 나리께 인사 올려라."

그는 뒤에 숨어 있던 아이를 끌어 내며 말했다. 그 아이야말로 바로 20년 전의 윤토였다. 다만 얼굴빛이 파리하며, 목에 은목걸이가 없을 뿐이었다.

"이놈이 제 다섯째올시다. 세상 구경을 못해서 통 숫기가 없지요……."

그 때 어머니와 굉아가 2층에서 내려왔다. 아마 우리가 얘기하는 것을 들으셨던 모양이다.

"마님! 보내 주신 편지는 벌써 받았습니다. 나리가 돌아오신다는 소식을 듣고 어찌나 기뻤던지……."

"자네, 왜 그렇게 서먹서먹하게 구는가. 전에는 너나하는 사이가 아니었나. 예전처럼 신 형이라고 부르게."

어머니는 기분이 좋아서 말씀하셨다.

"마님도 참……. 그런 법이 어디 있습니까? 그 때는 철부지라 아무것도 모르고……."

윤토는 이렇게 말하면서 다시 수생에게 절을 시키려고 했으나, 아이는 더욱 부끄러워하며 제 아버지의 등뒤에 찰싹 달라붙을 뿐이었다.

"그 애가 수생인가? 다섯째랬지? 모든 게 낯설어서 부끄러워하는 것

도 무리가 아니지. 꿍아, 너 저 애하고 나가 놀아라!"

꿍아가 어머니의 말씀을 듣고 바로 수생에게 손짓을 하자, 수생도 선뜻 밖으로 따라 나가 버렸다.

어머니가 윤토에게 자리를 권하자, 그는 한참을 망설이다가 겨우 자리에 앉았다. 그리고 긴 담뱃대를 탁자 위에 기대어 세우고는 종이 봉지를 내밀며 말했다.

"겨울이라 변변한 게 없습니다. 이건 청두를 말린 건데, 제 손으로 거둔 거니까 나리께서 맛이나 보시라고……."

내가 그에게 사는 형편을 묻자, 그는 머리를 흔들며 말했다.

"말도 마십시오. 아들놈이 거들어 주긴 하지만, 그래도 먹고 살기 힘들어요. 세상도 어지럽고 오며가며 돈이나 뜯기니……. 게다가 농사도 시원찮습니다……. 추수해서 팔러 가면 번번이 세금이나 바쳐야 하고, 그나마 본전까지 까먹고 들어가죠. 그렇다고 안 팔자니 썩어 들어가고……."

그는 머리를 절레절레 흔들었다. 얼굴에는 숱한 주름이 새겨져 있으나 석상처럼 움직임이 없었다.

마음속의 괴로움을 다 표현하지 못하겠는지, 잠깐 말이 없다가 담뱃대를 집어 들고 묵묵히 담배를 피웠다.

어머니가 물어 보니 그는 집안일이 바빠서 내일 돌아간다는 것이다. 아직 점심도 먹지 않았다는 말에 부엌에 가서 직접 밥을 데워 먹으라고 했다.

그가 나간 뒤, 어머니와 나는 그의 형편을 탄식했다. 자식들은 많고 흉년에다 가혹한 세금, 병정, 도둑, 관리, 양반……. 이 모든 것들이 그를 짓눌러 머저리로 만들어 버린 것이다. 어머니는 나에게 가져가지 않아도 되는 물건은 윤토에게 주자고 말씀하셨다.

오후에 그는 몇 가지 물건을 골라 냈다. 긴 탁자 두 개, 의자 네 개, 향로와 촛대가 한 쌍, 저울이 하나였다. 그는 또 재(우리 고향에서는 밥을 할 때 재를 땠는데, 그 재는 모래사장의 거름이 된다)도 모두 달라고 했다. 우리가 떠날 때 배로 실어 가겠다고 했다.

우리는 밤에 또 세상 돌아가는 이야기를 했으나 모두가 별로 중요하지 않은 이야기들이었다. 다음 날 아침, 그는 수생을 데리고 돌아갔다.

그로부터 아흐레가 지나 우리가 떠날 날이 되었다. 윤토는 아침 일찍 왔다. 수생은 데리고 오지 않고, 대신 다섯 살짜리 계집애를 데리고 와서 배를 지키게 했다. 우리는 하루 종일 몹시 바빠서 잡담할 틈도 없었다. 손님도 많았고, 배웅하러 온 사람, 물건을 가져가려고 온 사람, 배웅 겸 물건을 가지러 온 사람 등 각양각색이었다. 저녁이 되어 배에 오를 때가 되자 이 집에 있던 온갖 잡동사니들은 하나도 남지 않고 깨끗이 치워졌다.

배는 앞으로 나아갔다. 양쪽 강 언덕의 산들은 황혼 속에서 모두 검푸른 빛으로 물들며 배 뒤쪽으로 하나하나 사라졌다. 굉아는 나와 함께 선창에 기대어 서서 바깥의 희끄무레한 풍경을 바라보고 있었다. 그러더니 이렇게 묻는 것이었다.

"큰아버지, 우리는 언제나 돌아오나요?"

"돌아오다니? 너는 아직 가기도 전에 돌아올 걱정부터 하니?"

"하지만 수생이가 자기 집에 놀러 오라고 했는걸요……."

굉아는 크고 새까만 눈을 뜨고 멍하니 생각에 잠겼다.

어머니와 나는 모두 어리둥절해져 있다가, 다시 윤토 이야기를 끄집어 냈다. 어머니 말씀에 의하면, 그 두부 가게 서시가 이삿짐을 꾸리기 시작할 때부터 매일같이 오더니, 그저께는 잿더미 속에서 사발이며 접시를 열 몇 개나 찾아 냈다고 한다. 이래저래 따져 본 결과, 윤토가 재를 실어 갈 때 함께 가져가려고 몰래 숨겨 둔 것이 틀림없다고 하더라는 것이다.

두부 가게 서시는 뭐 대단한 것이라도 발견한 것처럼 개잡이(구기살. 우리 고향에서 양계하는 도구인데, 목판 위에 우리를 치고 안에 모이를 담아 주면 닭은 목을 들이밀고 쪼아먹을 수 있지만 개는 안 되므로 바라만 보다가 지쳐 죽는다는 데서 유래한 말이다)를 가지고 쏜살같이 달아났는데, 뒤축이 높은 전족 신발을 신고 어찌나 잽싸게 달아나는지 신기하더라는 것이다.

옛집은 점차 내게서 멀어져 가고, 고향 산천도 점점 눈앞에서 사라져 간다. 그러나 나는 아무런 미련도 갖지 않았다.

나는 다만 보이지 않는 높은 담에 둘러싸여 점점 고독해져 가는 자신을 느낄 뿐이다. 수박밭에서 은목걸이를 걸고 있던 소영웅의 이미지가 그토록 뚜렷했는데, 지금 이렇게 흐릿해져 가는 것이 나를 슬프게 한다.

어머니와 굉아는 잠이 들었다.

자리에 드러누워 뱃전에 철썩이는 물소리를 들으면서, 이제 나의 길을 가고 있음을 깨달았다. 생각해 보면 나와 윤토와의 거리도 마침내 이토록 멀어져 버린 것이다.

하지만 어린아이들의 마음은 여전히 하나로 이어져 있다. 굉아 역시 지금 수생을 그리워하고 있지 않은가? 나는 그 애들이 나같이 되지 말기를, 서로 간의 단절이 절대로 생기지 않기를 바란다.

그렇다고 해서 그들이 나처럼 마음을 잇지 못해 괴로워하는 것도, 또 윤토처럼 괴로움에 마비된 생활을 하는 것도 원치 않는다. 그리고 또한 다른 사람들처럼 괴로워하면서 사리사욕만을 좇는 세월을 바라는 것도 아니다. 그들에게는 우리가 아직 경험해 보지 못한 새로운 생활이 있어야만 한다.

희망이라는 것에 생각이 미쳤을 때, 나는 갑자기 두려워졌다. 윤토가 향로와 촛대를 달라고 했을 때, 나는 그도 우상을 숭배하는 인간이며, 언제까지고 그것을 잊어버리지 못하는구나 하고 속으로 비웃었다.

그러나 내가 말하고 있는 이 희망이란 것도, 나 자신이 만들어 낸 우상이 아닌가? 다만 그의 소원은 아주 가까운 데 있고, 나의 소원은 아득히 먼 곳에 있을 뿐이다.

몽롱해진 내 눈앞에는 해변의 백사장이 펼쳐져 있고, 진한 쪽빛 하늘에는 황금빛 만월이 걸려 있었다. 나는 생각했다. 희망이라는 것은 본래 있다고도 할 수 없고, 없다고도 할 수 없다. 그것은 마치 지상의 길과 같은 것이다. 본래 지상에는 길이 없었다. 다니는 사람이 많아지면 그곳이 곧 길이 되는 것이다.

(1921년 1월)

단 오 절

　방현작은 요즈음 '대동소이'라는 말을 곧잘 사용하여, 거의 구두선 (실행하지 않는 헛된 말)처럼 되어 버렸다. 입으로 말할 뿐 아니라, 그의 머릿속에도 굳게 뿌리를 내린 것이다. 그가 처음에 쓴 말은 '만사일반(모두 똑같다)'이었는데, 차차 적합하지 않다는 생각이 들었던지 '대동소이'로 고쳐 오늘날까지 사용해 왔다.

　이 짤막하고 평범한 경구를 발견한 후로, 더러 개탄도 했으나 동시에 여러 가지의 위안도 얻었다.

　가령 늙은이가 젊은이를 윽박지르는 것을 보았다고 치자. 그전 같았으면 충분히 분통을 터뜨릴 것이지만, 지금은 도리어 생각을 바꾸게 된다. '장래 이 젊은이가 손자를 갖게 되면 역시 이렇게 위엄을 부리겠지!' 이런 식으로 생각하면 아무 불평도 생기지 않는 것이었다.

　또, 군인이 차부를 때리는 것을 목격했다고 하자. 그전 같으면 틀림없이 분노할 것이지만, 지금은 생각을 고쳐 '만약 이 차부가 군인이 되고, 군인이 차부가 되면 대개는 역시 이처럼 때릴 것이리라.' 그렇게 생각하면 마음에 걸릴 것이 없는 것이었다.

　그는 이렇게 생각을 하다가도, 때로는 자기 스스로 의심할 때가 있다. '스스로 사회악과 싸울 용기가 없으므로, 양심을 속이고 자신을 호도해 가며 이런 도피처를 만들어 낸 것은 아닐까? 그렇다면 이것은 시비를 가릴 마음이 없는 것이나 마찬가지니, 고치는 편이 좋을 것이다.' 하고.

그럼에도 불구하고 '대동소이'라는 생각은 그의 머릿속에서 자라나기 시작했다. 그가 이 '대동소이설'을 최초로 공표한 것은 바로 북경 수선 학교(가상의 학교)의 강당에서였다.

그 때는 아마도 역사에 대한 이야기를 끄집어 내었을 것이다. 그리하여 '옛날이나 지금이나 사람은 별 차이가 없다'는 말을 했고, 또 '사람들의 본성이란 비슷하다'는 이야기도 했다. 마침내 이야기는 학생과 관료에까지 확대되어, 일대 열변을 토한 것이다.

"오늘날 우리 사회에서는 현대파들이 한결같이 관료들을 공격하고 있는데, 그 중에서도 학생들이 가장 심하게 비난하고 있습니다. 그러나 관료는 결코 하늘에서 타고난 특별한 종족이 아니며, 일반 사람들이 변해서 된 것입니다. 요새는 학생 출신의 관료도 적지 않으나, 그들이 예전 관료와 다른 점이 무엇입니까? 역지칙개연, 즉 자리가 바뀌면 누구나 다 같다고 하듯이 사상이나 말, 거동, 풍채가 모두 큰 차이가 없는 것입니다……. 바로 학생 단체가 새로 벌인 사업들도 이미 병폐의 발생을 막지 못하고, 태반이 연기처럼 사라지지 않았습니까? 결국 대동소이합니다. 중국 장래의 문제점이 바로 여기에 있는 것입니다……."

강당 안에 흩어져 있던 20여 명의 청중 중에서 어떤 자는 낙담했다. 몇몇은 이 말이 옳다고 생각한 모양이며, 어떤 자는 벌컥 성을 냈다. 신성한 청년을 모욕했다고 생각한 모양이다. 또 그를 보고 히죽 웃는 자도 몇 명 있었다. 그가 자기 변명을 하고 있다는 생각이 든 모양이다. 방현작은 관료를 겸하고 있었으니까.

그러나 실은 다들 착각한 것이다. 그것은 일종의 새로운 불평에 지나지 않았다. 불평이기는 했으나, 그것 역시 다만 그의 분수에 맞는 일종의 공론이었다.

자기 스스로도 이유를 알 수 없었다. 자신이 게을러서 그랬는지, 아무튼 자기는 움직이기를 싫어하고 차분하게 본분을 지키는 사람이라고 생각했다.

총장은 그에게 신경병이라고 터무니없는 말을 했으나, 지위가 흔들리지 않는 한 그는 결코 입을 열려고 하지 않았다. 교원의 봉급이 반 년 이상이나 안 나왔지만, 관리의 봉급으로 버텨 나가는 한 그는 결코 입을 열려 하지 않았다. 또한 교원들이 합세하여 봉급을 받아 내려고 하자, 그는 속으로 '너무 경솔하게 행동한다'고 생각했다.

그러나 관청의 동료들이 지나치게 교원을 모욕하는 소리를 듣게 되자, 순간 그도 감정이 조금 상했다. 그러나 시간이 지날수록 점차 마음을 가다듬었다. '그 당시 내가 화가 났던 건 마침 돈이 떨어졌기 때문이고, 한편 다른 관청의 동료들은 교원을 겸직하고 있지 않아서 그랬을 것이다.' 그렇게 생각하자 곧 마음이 풀렸다.

그도 역시 돈에 곤란을 받고 있었으나, 지금까지 교원 단체에는 가입하지 않았다. 하지만 남들이 동맹 휴업을 결의했을 때에는 그도 수업하러 가지 않았다.

정부가 '수업을 하면 돈을 주겠다'고 말했을 때, 그는 정부가 하는 짓거리가 원숭이 앞에 과일을 들이대며 놀려 대는 것과 다를 바가 없다고 생각했다.

한 저명한 교육자가 말했다.

"교원이 한 손에는 책을 들고, 다른 한 손으로는 돈을 요구하는 일은 고상하지 못하다."

마침내 그는 자기 아내에게 정식으로 불평을 털어놓았다.

'고상하지 못하다'는 설을 들은 날 저녁 식사 때 그는 '여보, 어째서 반찬이 두 가지뿐이오?' 하고 반찬을 보면서 투덜댔다.

그들은 신교육을 받은 적이 없으므로, 아내에게는 학명이나 아호도 없었다. 따라서 마땅히 부를 만한 호칭이 없었고, 관례에 따라 '마누라' 라고 부르는 수밖에 없었다. 그러나 그것은 너무 구식 티가 났고, 마침 내 '여보'라는 말을 생각해 낸 것이다.

그런데 아내는 '여보'라고도 부르지 않았다. 다만 그에게 얼굴을 돌려 말하기만 하면, 습관에 따라 그것이 자기에게 하는 말이겠거니 했다.

"하지만 지난 달에 탄 봉급의 1할 5부의 돈도 다 썼어요……. 어제 들여온 쌀도 간신히 외상으로 가져온 거예요."

그녀는 식탁 옆에 서서 그에게 얼굴을 마주 대고 말했다.

"이것 좀 봐요. 이런데도 교원이 급료를 요구하는 것을 천박한 짓이 라고 지껄여 대니! 그놈들은 그래, 사람이 밥을 먹어야 살고, 밥은 쌀 로 지어야 하며, 쌀은 돈으로 산다는 이런 평범한 이치조차도 모르는 모양이야……."

"그럼요. 돈 없이 어떻게 쌀을 사며, 쌀 없이 어떻게 밥을 짓는답니 까……."

그의 두 볼은 노기로 부풀어올랐다. 아내가 덮어놓고 자기 주장과 대 동소이한 맞장구를 쳤기 때문에 화가 난 것이다. 그래서 머리를 다른 쪽으로 돌려 버렸다.

이것은 토론 중지를 선고하는 습관적인 표시였다.

바람이 처량하게 불고 세찬 비가 쏟아지던 날, 교원들은 정부에 대해 밀린 봉급의 지불을 요구하러 갔다. 그리고 신화문(중화민국 시대의 총 통부 대문) 앞 진흙탕 속에서 자기 나라 군인들에게 맞아 머리가 얻어 터지고 피를 흘리고서야 간신히 몇 푼의 봉급을 받아 냈다.

방현작은 힘들이지 않고 돈을 받게 되어 빚을 좀 갚았으나, 대부분은 아직 그대로였다. 그도 그럴 것이 관청의 봉급 역시 상당히 밀려 있었기 때문이다. 이렇게 되자 청렴한 관리들도 점차 봉급을 조르지 않으면 안 되겠다고 생각하기에 이르렀다. 하물며 교원을 겸직하고 있는 방현작이 학계에 보다 큰 동정을 표시하게 된 것은 당연한 일이었다. 그래서 비록 계속 동맹 휴업할 것을 주장하는 자리에는 참석하지 않았으나, 그 후에는 기꺼이 공동 결의를 준수했다.

드디어 정부가 돈을 지불했고, 학교도 이내 수업을 시작했다. 그러나 며칠 전에는 학생 총회에서 정부에 건의문을 보내 '만약 교원들이 수업을 안 하겠다면 밀린 봉급도 지불하지 말라'고 했다. 이것은 별 효력을 내지는 못했지만, 방현작으로서는 불현듯 전번에 정부가 말한 '수업을 하면 돈을 준다'는 이야기가 생각났다. '대동소이'라는 그림자가 다시 눈앞에 어른거리며 좀처럼 사라지지 않았다.

그래서 그는 강당에서 바로 그것을 공표했던 것이었다.

이것으로 미루어 보아, 만약 그의 '대동소이설'을 억지로 해석한다면 일종의 사심이 섞여 있는 불평이라고 판단해 버릴 수도 있을 것이다. 그러나 결코 자기가 관리직에 있다는 것을 변명하는 것이라고만은 할 수 없다. 다만 그럴 때마다 그는 늘 중국 장래의 운명 따위를 끄집어 내며, 스스로를 우국지사라고 여기는 것이다. 유감스럽게도 사람이란 다 '자지지명'이 없어 곤란을 겪는 것이다.

그러나 다시 '대동소이'한 사건이 발생했다. 정부는 애당초 골칫거리였던 교원들에 대해서만 모른 체했던 것인데, 급기야는 관리들에게까지 무관심하게 되어 봉급은 밀리고 또 밀리게 되었다. 궁지에 몰리게 되자, 교원들이 돈을 요구한다고 경멸하던 관리들까지도 대다수가 봉급 지불 요구 대회의 선봉장으로 바뀌는 형편이었다.

오직 몇몇 신문에서는 도리어 그들을 경멸하고 조소하는 기사를 실었다. 방현작은 이것을 조금도 이상하게 여기지 않았고, 또 조금도 상관하지 않았다. 자기의 대동소이설에 근거해서, 신문 기자들은 아직까지는 고료 지불을 당하지 않은 까닭이었다.

만일 정부나 재벌이 봉급 지불을 중지했다면(당시의 신문은 대부분 정부나 특정 정객, 재벌, 군벌의 출자에 의존하는 어용 신문이었다) 그들 대부분도 역시 대회를 열었을 것이다.

그는 이미 교원의 봉급 지불 요구에 찬성한 이상, 자연히 동료들의 봉급 지불 요구에도 찬성했다. 그러나 그는 여전히 관청 안에 태연히 앉아 전과 다름없이, 결코 그들과 어울려 빚을 재촉하러 가지는 않았다.

어떤 사람은 그를 혼자 고고한 척한다고 비난했으나, 그것은 일종의 오해에 지나지 않았다. 그의 말에 의하면, 태어난 이래 지금까지 남으로부터 빚 재촉을 받았으면 받았지, 그가 빚 재촉을 한 적은 없다고 했다. 그러므로 그런 일은 '그 자신의 일'이 아니라는 것이다.

게다가 그는 우선 경제권을 쥐고 있는 인물들을 만날 용기가 없었다. 그런 사람들도 권세를 잃은 후 《대승기신론》 같은 책을 펴들고, 불교학을 강론할 때면, 물론 더없이 부드럽고 가까이할 만하다. 그러나 보좌에 있을 때면 어디까지나 염라대왕의 낮짝을 해 가지고는 다른 사람을 깔보면서, 너희 가난뱅이들이 살고 죽는 권리가 모두 이 손 안에 있다고 뽐내는 것이다.

그런 이유로 그는 그들을 찾아가기를 꺼렸으며, 또 만나고 싶지도 않았다. 이러한 성격이 때로는 자기로서도 고고하게 여겨졌지만, 동시에 무능력한 탓인지도 모른다고 의심하기도 했다.

사람들은 이리저리 변통해서 어떻든 한 고비 한 고비를 넘기며 근근이 생활해 나갔다.

그러나 방현작은 전보다 더 극심하게 쪼들렸다. 따라서 그가 부리고 있는 하인이나 거래하는 가게는 말할 것도 없고, 아내마저도 그에 대한 경의를 점차 저버리게 되었다.

아내가 요 근래 들어 그의 의견에 그다지 복종하지 않을 뿐만 아니라, 도리어 독창적인 의견을 제출한다거나 제법 당돌한 행동을 하는 것만 보아도 충분히 알 수 있다.

음력 5월 초나흗날 오전의 일이었다. 그가 근무를 마치고 돌아오자, 아내는 곧 한 묶음의 외상 장부를 코앞에 내밀었다. 이런 일 또한 평소에는 없었던 일이다.

"합이 180원은 있어야 될 것 같아요……. 월급 나왔수?"

그녀는 아예 그를 쳐다보지도 않고 말했다.

"흥! 나는 내일부터 당장 관리 노릇을 그만두겠어! 돈표는 그들이 받아가지고 왔지. 그런데 급료 지불 요구 대회의 대표들이 나눠 주지를 않아. 처음에는 같이 가지 않은 사람에게는 주지 않겠다고 말하더니, 나중에는 다시 자기들한테 와서 직접 받아 가라고 했다는 거야. 그놈들은 돈표를 거머쥐자, 당장 염라대왕 낯짝으로 변해 버렸어. 이젠 정말 꼴도 보기 싫어……. 이젠 돈도 필요 없고, 관리도 다 때려치우겠어. 치사하기 짝이 없는 노릇이야……."

아내는 남편이 전에 없이 분해하자 잠시 아연했다. 그러나 이내 침착하게 마음을 가다듬었다.

"제 생각엔 역시 직접 받으러 가는 게 낫겠어요. 무슨 상관이에요?"

그녀는 그의 얼굴을 보면서 말했다.

"안 가! 이건 관리의 봉급이지 상금이 아냐. 마땅히 회계과에서 보내 줘야만 해."

"그러나 안 보내주는 걸 어떻게 해요……? 참, 어젯밤 말씀드린다는 게 깜빡 잊었네요. 애들 수업료, 학교에서 벌써 여러 차례나 재촉을

했다는군요. 만약 그래도 납부하지 않으면……."

"도대체 무슨 소릴 하는 거요? 아비는 관청이나 학교에서 일한 대가를 한 푼도 못 받았는데, 자식놈들이 가서 몇 구절 배운 돈은 꼭 받아내야 하겠다는 거요?"

아내는 그가 앞뒤 가리지 않고, 자기가 마치 교장인 것처럼 화풀이를 해 대고 있으니, 안 되겠다 싶었는지 더 이상 대꾸하지 않았다. 두 사람은 묵묵히 점심을 먹었다. 그는 한참 생각하더니 이내 우울한 표정으로 나가 버렸다.

지금까지의 예로 보아, 최근에는 명절 전날이나 섣달 그믐날이면, 그는 꼭 밤 열두 시가 다 되어야만 집에 돌아왔다. 주머니를 뒤적이며 걸어와 큰 소리로, '여보, 받아 왔어!' 하며 중국 교통은행의 새 지폐 다발을 건네주며 아주 의기양양한 표정을 짓곤 했다.

그런데 어찌 된 일인지 이번 5월 초나흘날, 단오절 전날은 뜻밖에도 7시가 채 못 되어 집으로 돌아온 것이다.

아내는 깜짝 놀라 그가 정말로 사직한 것이 아닌가 하는 생각을 했다. 시치미를 떼고 그의 얼굴을 살폈으나, 별로 기가 죽어 있는 것 같지는 않았다.

"무슨 일이에요? 이렇게 일찍⋯⋯."

그녀는 그를 빤히 쳐다보면서 말했다.

"돈 주는 게 늦어서, 결국 못 받았어. 게다가 은행도 문을 닫아 버렸거든. 초여드렛날까지 기다려야 해!"

"손수 받으러 갔었어요?"

그녀는 조심스레 물었다.

"직접 타 가라고 하던 것은 취소되었고, 예전과 다름없이 회계과에서 제각기 보내 주기로 했다더군. 하지만 은행은 벌써 문을 닫았고, 또 사흘 동안이나 쉰다고 하니, 초여드렛날 오전까진 기다릴 수밖에 없게 되었어."

그는 눈을 내리깔고 앉아서 차를 한 모금 마시고는, 천천히 입을 열었다.

"다행히 관청 안에는 별 문제가 없어. 아마 초여드렛날에는 틀림없이 돈이 들어올 거요⋯⋯. 지금까지 별로 친하게 지내지 않았던 사람들에게 돈을 꾸기란 참으로 껄끄러운 일이더군. 오늘 오후에 눈 딱 감고서 김영생을 찾아갔어. 그는 처음에는 내가 봉급 지불을 재촉하지 않는 일이나, 직접 봉급을 안 받으러 간 일이 매우 고결하다, 사람은 응당 그래야 한다고 추켜세우더군. 그러다가 내가 돈 50원만 융통해 달라고 하자, 금방 입 안에 소금을 처넣기라도 한 것처럼 오만상을 찌푸리는 거야. 집세가 안 걷히느니, 장사를 손해 봤느니 하면서 말이야. 그러더니 동료한테 제 돈 받으러 가는 게 뭐가 나쁘냐면서, 그 자리에서 당장 나를 밀어내더군."

"이렇게 명절이 임박해서 누가 돈을 꾸어 주겠어요?"

아내는 오히려 담담하게 말했고, 조금도 분개하는 빛이 없었다.

방현작은 머리를 숙이고, 그의 행동도 무리는 아니라고 생각했다. 더욱이 자기는 김영생과 평소에 거의 소원한 사이가 아니었던가.

그는 이어 작년 연말께의 일을 기억해 냈다. 그때 동향 사람 하나가 10원을 꾸러 왔다.

마침 그는 관청의 보증 수표를 받아 쥐고 있었으나, 그 사람이 돈을 안 갚을지도 모른다는 생각에 난처한 기색을 띠면서 둘러댔다. '관청의 봉급도 못 받았고, 학교에서도 월급을 주지 않아 정말 안됐지만 어쩔 수 없군요.' 하면서 빈손으로 돌려보냈던 것이다.

그때 자기가 어떤 표정을 지었는지 모르겠지만, 몹시 불안해하며 입술을 바르르 떨고, 머리를 설레설레 흔들었던 것 같다.

그리고 얼마 지나지 않아, 그는 갑자기 크게 깨달은 것처럼 하인을 시켜, 즉시 상점에 가서 연화백 한 병을 외상으로 가져오라고 했다.

그는 가게 주인이 내일 외상값을 받기를 바란다면, 외상을 안 주고는 못 배기리라는 것을 알고 있었다. 만약 외상을 안 준다면 내일은 한 푼도 갚지 않을 것이니, 이것이야말로 장사치들이 마땅히 받아야 할 징벌이다.

얼마 후 하인은 연화백을 외상으로 가져왔다. 두 잔을 마셨더니 창백한 얼굴에 불그레한 빛이 떠올랐다. 밥을 먹고 나니 그는 흥겨운 기분이 들었다.

그는 대짜 합덕문 한 개비에 불을 붙여 물었다. 그런 다음 탁자 위에서 《상시집》을 집어 들고 침대에 누워 읽으려고 했다.

"그러면 내일 가게 주인에겐 뭐라고 하지요?"

아내는 들어와 침대머리에 서서 그의 얼굴을 보며 물었다.

"가게 주인? 그들한테도 초여드렛날 오후에 오라고 해."

"전 그렇게는 말 못하겠어요. 아무도 믿지 않고 승낙하지도 않을 거예요."

"무얼 못 믿어? 그럼, 그들보고 직접 가서 물어 보라고 그래. 관청 사람들은 아직 아무도 돈을 못 받았으니, 초여드렛날까지는 기다려야 한다고."

그는 집게손가락을 곧게 세워 모기장 안의 공중에다 반원을 그렸다. 아내도 손가락을 따라 반원을 보았으나, 그 손은 그대로 내려와 《상시집》을 뒤적였다.

아내는 그가 억지를 부리는 바람에 한동안 입을 열 수가 없었다.

"나는 이래 가지고는 도저히 살아갈 수가 없어요. 앞으로는 아무래도 다른 방법을 좀 생각해서……. 다른 일을 하든지 해야지……."

아내는 마침내 말머리를 돌려 이렇게 말했다.

"다른 일이라고? 내가 글에 있어서는 필경생만도 못한데, 달리 무슨 짓을 한단 말이오?"

"당신은 상해의 출판사에 글을 써 주신 적도 있지 않아요?"

"상해의 출판사? 거기서는 원고료를 지불할 때, 글자 하나하나 세고, 빈 칸은 쳐주지도 않지. 내가 거기 있을 때 지은 백화시를 봐요. 빈칸이 얼마나 많은가……. 한 권에 고작해야 3백 푼밖에는 안 돼. 인세는 또 반 년이나 소식이 없고. '먼 곳의 강물로 가까운 곳의 불을 끄지 못한다'는 격이야. 그건 더 못할 짓이지."

"그러면 이 곳 신문사에 주죠……."

"신문사에 준다고? 이 곳의 큰 신문사에서 내 제자가 편집을 맡고 있다길래, 그 사람 안면을 보아 글을 썼지. 그런데 천 자에 얼마나 받을 줄 아오? 내가 아침부터 밤까지 글을 쓴다고 해도 그걸로 식구들을 먹여 살릴 수는 없어. 게다가 내 머릿속에 그렇게 많은 글들이 들어 있는 것도 아니고."

"그럼, 당장 단오절이 지나고 나면 어떻게 해요?"

"단오절을 쇠고 나면, 역시 관리 노릇을 해야지……. 내일 가게 주인 이 와서 돈을 달라거든 당신은 그냥 초여드렛날 오후에 오라고만 하면 돼."

그는 다시 《상시집》을 보려고 했다. 아내는 이 기회를 놓쳐서는 안 된 다 싶어, 급히 떠듬떠듬 말을 이었다.

"저어, 이번 단오절이 지나, 초여드레가 되면 우리……. 채표(복권의 일종)나 한 장 삽시다."

"허, 그런 허튼 소리! 어찌 그리 무식한 소리만 하는 거요?"

이 때 그는 불현듯 김영생에게 쫓겨 오던 날의 일이 떠올랐다. 그 때 멍하니 도향촌이라는 가게 앞을 지나던 그는 문 앞에 대문짝만한 글씨 로 써 붙인 광고를 발견했다. '1등 당첨 몇만 원'이라는 광고를 보고 마 음이 조금 들떴던 기억이 났다. 아니면 걸음걸이가 약간 느려졌던 탓인 지도 모르겠다. 지갑 속에 겨우 남아 있던 60전이 아까웠던가 해서 결 국 깨끗이 단념하고 그 앞을 지나쳐 버렸다.

그의 안색이 갑자기 변하자, 아내는 남편이 자기의 무식함을 못마땅 하게 여기는 줄 알고, 할 말도 다하지 못하고 나가 버렸다.

방현작도 말을 하다 말고 허리를 쭉 펴더니, 중얼중얼하면서 《상시 집》을 읽기 시작했다.

(1922년 6월)

백 광

진사성이 현시의 방을 보고 집으로 돌아왔을 때는 벌써 오후였다. 사실 그는 아침 일찍 나갔었다.

방문을 보자, 그는 우선 그 글자들 중에서 '진'이란 글자를 찾았다.

진가는 상당히 많았다. 저마다 앞다투어 그의 눈으로 날아드는 것 같았다. 그러나 그 뒤에 이어지는 이름들 중 어느 것에도 '사성'이란 두 글자는 없었다.

방을 보러 온 사람들이 모두 흩어진 뒤에, 그는 다시 한 번 원형으로 적혀 있는 열두 개의 인명표를 자세히 들여다보았다. 그러나 진사성이란 이름은 끝내 보이지 않았다. 그는 시험장의 게시판 앞에 우두커니 서 있을 뿐이었다.

차가운 바람이 이따금 반백의 머리털을 나부끼게 했으나, 초겨울의 햇살은 아직도 포근하게 그를 비추고 있었다.

그러나 그는 햇볕을 쬐어 현기증이 나는 듯 안색이 점점 창백하게 변했다. 피곤에 지쳐 빨갛게 충혈된 두 눈에서는 이상한 광채가 뿜어져 나왔다.

그의 눈에는 이미 담장 위의 방문 따위는 들어오지도 않았다. 단지 수많은 검은 동그라미만이 눈앞에 둥실둥실 떠다니고 있을 뿐이었다.

'수재(현시의 합격자)의 자격을 얻어가지고, 성 안으로 향시를 보러 가서 차례로 시험에 합격한다……. 그렇게 되면 사방에서 문벌들의 혼담이 들어올 것이며, 사람들은 마치 신을 우러러보듯 나를 경외하며, 지금까지 사람 볼 줄 몰랐다고 스스로 후회하겠지……. 지금 허물어진 집에 세들어 살고 있는 사람들은 모두 쫓아 내자——아니지, 힘들게 그들을 쫓아 낼 게 아니라 내가 이사를 가자——집은 전부 새로 짓고 대문에다 깃대와 편액을 내건다……. 높은 지위를 바라면 중앙의 관리가 되는 것이 좋고, 그렇지 않으면 차라리 지방관이 되는 쪽이 낫다…….'

그가 정확하게 계산해 두었던 입신 출세의 길이 한순간에 물에 녹은 엿가락처럼 무너져 내리고 만 것이다. 그는 실의에 젖어 쓰러질 듯한 몸을 돌려 멍하니 집 쪽으로 걷기 시작했다.

그가 막 자기 집 문 앞에 이르자, 일곱 명의 학생들이 일제히 목청을 돋우어 와글와글 책을 읽기 시작했다. 그는 깜짝 놀랐다. 귓전에서 마치 종이 울리는 듯했던 것이다. 곧 작은 변발을 드리운 7개의 머리통이 눈앞에서 어른거리더니, 그것이 온 방 안에 퍼지며 검은 동그라미와 한데 어울려 춤을 추었다. 그가 자리에 앉자 아이들은 저녁 숙제를 제출했는데, 모두 선생의 태도를 살피는 기색이 역력했다.

"그만 돌아들 가거라."

그는 잠시 망설인 뒤 신음하듯 말했다. 아이들은 허둥지둥 책보를 싸서 겨드랑이 사이에 끼고, 정신없이 도망을 쳤다.

진사성의 눈에는 여러 개의 작은 머리들이 검은 동그라미와 함께 아직도 춤추고 있는 것이 보였다. 때로는 한데 뒤섞이고, 때로는 이상한 형태로 변해서……. 그러나 그것도 차차 수가 줄고 흐릿해졌다.

"이번에도 헛일이다."

그는 갑자기 큰 충격을 받고 자리에서 벌떡 일어났다. 분명히 귓전에서 그렇게 말하는 것이 들렸기 때문이다. 그러나 뒤돌아보아도 아무도 없었다. 또다시 '꽝' 하고 종을 치는 소리가 들리는 듯했다. 그도 소리를 내어 중얼거렸다.

"이번에도 헛일이다."

그는 급히 한쪽 손을 치켜들고, 손가락을 꼽으면서 생각해 보았다. 열한 번, 열세 번, 금년까지 꼭 열여섯 번이었으나, 끝내 문장을 아는 시험관은 하나도 없었다. 눈은 있어도 보지를 못한다더니, 이 얼마나 딱한 일이냐! 자신도 모르는 사이 피식 웃음이 나왔다.

그러다가 그는 갑자기 화가 나서 책꾸러미 밑에서 베껴 쓴 팔고문과 시첩시를 뽑아 들고 밖으로 나갔다.

막 문턱에 다가가자, 갑자기 눈앞이 환해졌다. 한 무리의 닭들마저도 마치 자기를 비웃고 있는 것처럼 생각되었다. 그는 두근거리는 가슴을 누를 길이 없어 맥이 빠진 채 되돌아오고 말았다.

그는 다시 앉았다. 눈빛이 이상하게 번뜩이고 있었다. 눈에 여러 가지 물건들이 비치고 있었으나 그저 흐리멍덩할 뿐이었다. 무너져 내린 엿덩어리 같은 감정이 그의 앞을 가로막고 있었다. 그 감정은 점점 커지면서 그의 앞길을 완전히 막고 말았다.

다른 집에서는 밥 짓는 연기가 사라진 지 오래고, 설거지도 다들 끝냈는데, 진사성은 밥할 생각도 하지 않았다. 이 집에 같이 사는 잡동사니들은 오래 전부터 현시가 있는 해마다 방이 붙은 후의 그의 눈빛을 보아 왔으므로, 일찌감치 문을 닫아 걸었다.

인기척이 끊어진 지 오래고, 등불도 차례차례 꺼져 갔다. 오직 달만이 느릿느릿 차가운 밤하늘에 얼굴을 내밀었다.

하늘은 온통 망망한 바다처럼 푸르다. 희미한 구름이 마치 붓을 물에 씻은 듯이 떠 있다. 달은 진사성에게 차가운 빛의 물결을 퍼붓고 있다.

맨 처음에는 말쑥하게 갈아 다듬은 쇠거울에 불과했었는데, 그 거울은 점차 이상하게도 진사성의 온몸을 비추며 그의 몸에 쇠의 달 그림자를 비추고 있다.

그는 여전히 뜰 안을 서성거리고 있었다. 주위는 아주 적막하다. 그러나 그 정적은 느닷없이 걷잡을 수 없는 소요로 헝클어져, 또다시 낮은 목소리의 속삭임이 귓전에 들려왔다.

"왼쪽으로 돌고, 오른쪽으로 돌아……."

그는 온몸이 오싹했다. 귀를 기울이니, 그 소리는 더욱 높게 되풀이되었다.

"오른쪽으로 돌아!"

그는 뚜렷이 기억하고 있다. 이 뜰은 그의 집이 지금처럼 쇠락하기 전, 여름이면 밤마다 할머니와 함께 바람을 쐬던 곳이었다. 당시 그는 불과 열 살짜리 어린아이였다. 대나무 평상에 누워 있으면 할머니는 그 옆에 앉아 재미있는 옛날 이야기를 들려주었다. 할머니는 또 그 할머니로부터 이런 이야기를 들었다고 했다.

원래 진씨의 조상은 큰 부자였고, 이 집도 바로 조상들의 터전이었다. 그 조상은 엄청나게 많은 은을 여기에 묻어 놓았는데, 후에 운이 좋은 자손에 의해 발견될 것이라고 했다. 그러나 아직까지 그것은 발견되지 않고 있다. 그 장소는 여전히 수수께끼로 남아 있다.

"왼쪽으로 돌아서, 오른쪽으로 돌고, 앞으로 가서 뒤로 가라. 금과 은이 우르르, 말로는 표현할 수가 없다."

이 수수께끼에 대해서, 진사성은 본래 평소에도 남모르게 추측을 해왔던 것이다. 그러나 유감스럽게도 거의 딱 들어맞는 순간, 또다시 빗나가곤 했던 것이다.

언젠가 그는, 그 곳이 분명 당가에게 빌려준 집 밑이라고 생각한 적이 있었다. 그러나 차마 파헤칠 용기가 나지 않았다. 그러나 얼마 지난 뒤에는, 아무래도 짐작이 틀린 것 같다는 생각이 들었다.

그의 집 안 여러 군데를 파헤친 흔적들은 모두 다 그가 몇 차례인가 낙방한 다음에 신경질적으로 발광했던 흔적이다. 나중에는 제 자신이 보기에도 무척 창피하고 부끄럽게 여겨졌던 것이다.

그러나 오늘따라 쇠의 광채가 진사성을 둘러싸고, 조용히 그를 설득했다. 그가 혹시나 하고 망설이면 정면에서 증거를 보이며 은밀하게 그를 재촉했다. 그는 어쩔 수 없이 자기 방 안으로 번득이는 눈을 돌리지 않을 수 없었다.

흰 빛은 마치 둥그런 부채처럼 그의 방 안에서 흔들흔들 출렁이고 있었다.

"아! 역시 여기였구나!"

그는 이렇게 외치며 사자처럼 날쌔게 방으로 뛰어들었다. 그러나 그 순간 흰 빛은 자취를 감추었다. 초라한 방도, 낡은 책상도 모두 침침한 어둠 속에 잠겨 있었다. 그는 멈칫하며 멈추어 섰다. 그리고는 차분한 눈초리로 다시 살펴보았다. 그러자 흰 빛은 다시 분명하게 솟아오르고 있었다. 전보다 더 크고 넓은데다, 유황불보다도 희멀겋고, 아침 안개보다도 더욱 엷게 번졌다. 그리고 그것은 동쪽 벽에 붙은 책상 밑에서 피어오르고 있었다.

진사성은 사자처럼 문 뒤쪽으로 달려갔다. 손을 내밀어 곡괭이를 찾다가 한 가닥의 시커먼 그림자에 부딪혔다. 왜 그런지 그는 오싹해졌다. 허둥대며 등불을 켜 보았더니, 곡괭이는 전과 다름없이 세워져 있었다.

그는 책상을 옮겨 놓고, 곡괭이로 단숨에 벽돌 바닥의 돌을 넉 장이나 파고 들추어냈다. 몸을 웅크리고 들여다보니, 그 밑은 전과 같이 바삭바삭하고 노란 모랫바닥이었다. 소매를 걷어 올리고 모래를 파헤치자, 그 밑으로 검은 흙이 드러났다.

그는 곡괭이로 조심스레 흙을 파내려갔다. 그러나 밤은 끝없이 고요하고 괴괴하다. 예리한 쇠로 흙을 파는 소리가 육중하게 울려나왔다.

흙구덩이를 두 자 남짓 파내렸으나, 끝내 오지 항아리는 나오지 않았다. 진사성은 속이 바짝바짝 탔다. 그 순간 '쨍' 하는 소리가 울리며 손이 아파 왔다. 곡괭이 날이 뭔가 단단한 물체에 부딪힌 것이다.

그는 급히 곡괭이를 집어던지고, 손으로 더듬어 만져 보았다. 그것은 한 장의 커다란 벽돌장이었다.

그의 심장은 심하게 두근거렸다. 정신을 집중하여 그 벽돌장을 파냈다. 그 밑에는 전과 같은 검은 흙이 가득 차 있다. 흙을 많이 파헤쳤으나 밑은 끝이 없는 것 같았다.

그러다 또 갑자기 딱딱한 작은 물체에 부딪혔다. 조그맣고 둥근 것이다. 아마 녹슨 동전인지도 몰랐다. 그 밖에 깨어진 사기 그릇 파편도 나왔다.

진사성은 마음이 텅 빈 것 같은 느낌이 들었다. 온몸이 땀에 흠뻑 젖었고, 초조해서 무작정 땅을 긁고 싶었다. 또다시 이상한 작은 물체에 부딪히자 그는 심장이 몹시 떨려 왔다. 그것은 말발굽과 비슷한 것이었는데, 만져 보니까 버석버석했다.

그는 다시 정신을 집중해서 그 물건을 조심스럽게 파내었다. 등불 밑에서 자세히 살펴 보니, 그 물건은 군데군데 깨어지고 부서진 썩은 해골바가지였다. 아직도 몇 개의 이빨이 붙어 있었는데, 아마도 그것이 아래턱뼈일 것이라고 그는 짐작했다.

그러자 그 아래턱뼈는 그의 손에서 덜컥덜컥 움직이기 시작하더니, 마침내 히히거리며 입을 벌리고 뇌까리는 듯했다.

"이번에도 헛일이다."

그는 소름이 오싹 끼쳤다. 그가 손을 놓아 버리자, 아래턱뼈는 데구루루 굴러서 다시 구덩이 속으로 떨어졌다. 이내 그도 뜰 안으로 도망쳐 나왔다.

그는 살며시 방 안을 훔쳐보았다. 등불이 나 보란 듯이 휘황한 불빛을 자랑하고 있었다.

아래턱뼈의 비웃음이 어찌나 무서운지 그는 다시는 그 쪽으로 눈을 돌릴 용기가 나지 않았다. 멀리 떨어져 있는 처마 밑의 어둠 속에 웅크리고 나서야, 그는 조금 마음이 놓였다. 그런 중에도 또다시 낮게 소곤거리는 소리가 귓전에 들려왔다.

"여기는 없다……. 산으로 가라……. 산으로."

그리고 보니 진사성은 아까 낮에도 거리에서 누군가가 그렇게 말한 것을 들은 듯한 느낌이 들었다. 말끝을 다 듣지 않고도 금방 깨달을 수 있었다.

그는 얼른 고개를 들어 하늘을 쳐다보았다. 달은 벌써 서고봉 쪽으로 숨어 버렸다. 성 안에서 35리나 떨어진 서고봉이 바로 눈앞에 홀처럼 거무죽죽하게 우뚝 솟아 있을 것이라는 생각을 하기만 해도, 당장 흰 빛이 넘치도록 눈부시게 피어오르고 있었다.

더구나 그 흰 빛은 멀고도 가까운 곳에 있었다.

"그래, 산으로 가자."

그는 마음을 정한 뒤, 비장한 마음으로 서둘러 걷기 시작했다. 몇 번이고 문을 열라는 소리가 들려왔다. 그 뒤로 문 안에서는 아무 소리도 들리지 않았다.

등불은 심지가 응어리져 빈 집과 방구석을 밝게 비추고 있었다. 심지가 빠지직거리며 불꽃을 튕기더니, 마침내 점점 오므라들어 사라지고 말았다. 기름이 완전히 타서 없어진 것이다.

"성문을 여시오."

큰 희망을 품은 공포의 외침과도 같은 소리가 아지랑이처럼, 서관문 앞의 여명 속에서 울부짖고 있었다.

그로부터 이틀이 지난 뒤의 일이다.

대낮에 어떤 사람이 서문에서 15리 떨어진 만류호에 시체 한 구가 떠 있는 것을 발견했다.

당장에 소문이 퍼져, 마침내 지보의 귀에까지 들어갔다. 그는 곧 마을 사람들을 시켜 시체를 건져 올리게 했다. 그것은 쉰 살 남짓한 남자의 시체로 몸집은 보통이고, 얼굴은 흰데다 수염이 없는 사람이었다. 온몸에는 실오라기 하나 걸치지 않고 있었다.

어떤 사람은 그가 틀림없이 진사성일 것이라고 했다. 그러나 이웃 사람들은 귀찮아서 보러 가려고도 하지 않았다. 또 시체를 맡아 줄 친척도 없고 해서, 현위원들의 검시가 끝나는 대로 지보의 손에 의해서 매장되었다.

사인에 대해서는 전혀 문제될 것이 없었다. 시체의 옷을 벗겨 가는 것은 흔한 일이므로 타살의 혐의를 둘 필요도 없었다. 더구나 검시한 사람도 물 속에서 살기 위해 허우적댄 것이 분명하다고 증언했다. 시체의 손톱에 강바닥의 진흙이 꽉 차 있는 것으로 보아, 죽기 전에 물에 빠진 게 틀림없다는 것이다.

토끼와 고양이

여름에 우리 집 뒤껼의 안채에 살고 있는 셋째 아줌마가 자기 아이들에게 주려고 흰 토끼 한 쌍을 사 왔다. 이 한 쌍의 토끼는 어미와 떨어진 지 얼마 안 되는 모양으로, 비록 짐승이기는 했으나 나름대로 천진난만한 구석이 있었다. 조그맣고 빨간 귀를 쫑긋 세우고 코를 실룩이면서 자못 놀란 빛을 띠는 품이 아마 그전 집에 있을 때처럼 편안함을 느끼지 못해서인 모양이다.

이 정도의 토끼라면 축제 날에는 한 마리에 20전이면 살 수 있을 것이다. 그런데 셋째 아줌마는 엉뚱하게도 1원이나 주고 샀다는 것이다. 소사를 시켜 가게에서 사 왔기 때문이다.

물론 아이들은 기뻐서 어쩔 줄 몰라했다. 그들은 토끼를 빙 둘러싸고 바라보면서 떠들어 댔다. 어른들도 모두 구경을 했다. 또 S라고 불리는 강아지가 있었는데, 그것도 뛰어와서 달려드는 것이었다. 코로 한바탕 냄새를 맡아 보고 재채기를 하더니 몇 걸음 뒤로 물러섰다.

이것을 본 셋째 아줌마가 크게 야단치면서 머리를 때렸다.

"S. 너, 잘 들어! 절대 토낄 물면 안 돼!"

S는 이내 뒤로 물러났는데, 그 이후로는 결코 토끼에게 덤벼들지 않았다.

이 한 쌍의 토끼는 뒤 창문 밖의 작은 마당에 갇혀 있을 때가 많았다.

벽지 찢는 걸 아주 좋아하고, 나무로 된 가구 다리를 늘 갉아 대기 때문이라는 것이다.

작은 마당에는 들뽕나무 한 그루가 있었는데, 토끼들은 거기서 떨어지는 오디를 아주 잘 먹었다. 저희들 먹이로 주어진 시금치는 거들떠보지도 않고 말이다.

까마귀나 까치가 내려오려고 하면 그들은 몸을 웅크리며 뒷발로 땅을 힘껏 찬 뒤, 눈덩어리가 날아오르는 것처럼 휙 뛰어올랐다. 그러면 까마귀와 까치는 놀라서 다급히 달아났다. 이런 일이 몇 번 있고 난 뒤로는 다시는 가까이 오지 않게 되었다.

셋째 아줌마의 말로는 까마귀와 까치는 차라리 괜찮다고 했다. 기껏해야 먹이를 좀 뺏어 먹을 뿐이니까. 제일 밉살맞은 놈은 저 커다란 흑고양이라는 것이다. 늘 얕은 담 위에서 눈을 번득이며 노려보고 있으니, 이놈만은 단단히 경계해야 된단다. 다행히 S와 고양이는 앙숙이니까 무슨 일이 일어나지는 않겠지만.

아이들은 수시로 토끼를 붙잡아서 장난을 쳤다. 토끼는 퍽 온순해서 귀를 곤두세우고 코를 실룩거리면서 아이들의 조그만 손바닥 안에 얌전히 서 있었다. 그러나 틈만 생기면 폴짝 뛰어내려 달아나곤 했다. 그들의 침상은 조그마한 나무 상자였는데, 안에 짚을 깔고 뒤쪽 창문의 처마 밑에 놓아 두었다.

이렇게 몇 달이 지나자 토끼들은 갑자기 자기들끼리 땅을 팠다. 파는 속도가 대단히 빨라, 앞발로는 긁어 헤치고 뒷발로는 차내어 반나절도 못 되는 사이에 벌써 깊은 굴을 만들었다.

사람들은 모두 이상히 여겼으나 뒤에 자세히 보니, 한 놈의 배가 다른 놈에 비해 훨씬 불렀다. 이튿날 그들은 마른풀과 나뭇잎을 굴 속으로 나르느라 반나절 동안 몹시 바빴다.

사람들은 모두 새끼 토끼를 보게 되었다고 즐거워했다. 셋째 아줌마는 아이들에게 명령을 내려 이제부터는 토끼를 붙잡지 말라고 했다. 우리 어머니도 토끼 가족이 번성하는 것을 매우 기뻐하셨다. 그리고는 태어난 토끼 새끼가 어미젖을 떼게 되면, 두 마리쯤 얻어다가 방문 밑에서 기르겠다고 하셨다.

그 후로 토끼들은 자기들이 만든 굴 속에서만 살았다. 가끔 나와서 먹이를 먹기도 했으나, 이내 사라져 버렸다. 그들이 식량을 미리 굴 속에 장만해 두었는지, 그렇지 않으면 전혀 먹지 않는 것인지 통 알 수가 없었다.

10여 일이 지나자, 셋째 아줌마가 나에게 말했다.

"그 두 마리는 다시 나왔어요. 아마 새끼들은 낳자마자 모두 죽었을 거예요. 왜냐하면 암놈의 젖은 많이 불어 있는데도, 안에 들어가 새끼에게 젖을 먹이는 기색이 전혀 없었거든요."

그녀가 말하는 품으로 봐서 화가 난 것 같았다. 그러나 그녀로서도 어찌 할 도리가 없었다.

그러던 어느 날이었다. 햇살이 몹시 따뜻했고, 바람 한 점 없는 날이었다. 어디에서인가 사람들의 웃음소리가 들려왔다. 소리나는 쪽으로 가 보았더니, 사람들이 셋째 아줌마네 뒤창에 기대어 서서 무언가를 보고 있었다. 그것은 마당에서 뛰놀고 있는 새끼 토끼 한 마리였다.

그 놈은 제 부모를 사 왔을 때보다도 훨씬 작았으나, 이미 뒷발로 땅을 차며 깡충 뛰어오를 줄도 알았다. 아이들이 서로 다투어 나에게 그 사실을 알려 주었다.

"다른 새끼 토끼 한 마리가 굴 입구까지 와서 머리를 내밀고 두리번거리는 것을 보았어요. 금방 움츠리고 들어가 버렸지만요. 그건 틀림없이 이놈의 동생일 거예요."

새끼 토끼가 풀잎을 주워 먹으려 했으나, 어미가 그것을 허락하지 않는지 가끔 입으로 빼앗아 갔다. 그렇다고 자기가 먹는 것도 아니었다.

아이들이 깔깔거리고 웃자, 새끼 토끼는 놀라 깡충거리면서 굴 속으로 들어가 버렸다. 어미도 뒤따라 굴 입구까지 따라가 앞발로 새끼의 등을 밀어넣은 뒤, 흙을 긁어 굴을 막았다.

이 때부터 작은 마당은 아주 법석거리기 시작했고, 창문에서도 늘 누군가가 살펴보곤 했다.

그런데 다시 그들 새끼도 어미도 전혀 모습을 드러내지 않게 되었다. 그 때는 매일 흐린 날이 계속되었다. 셋째 아줌마는 또 그놈의 흑고양이의 손아귀에 걸린 게 아닌가 하고 걱정했다. 나는 그럴 리가 없다고 말했다. 단지 날씨가 차니까 모두 숨어 있는 것뿐이며, 해가 나오면 반드시 나올 거라고 했다.

해가 나왔다. 그러나 그들은 여전히 나오지 않았다. 그러자 사람들은 곧 그들을 잊어버렸다. 오직 셋째 아줌마만이 늘 토끼굴에다 시금치를 갖다 놓으며 주의를 기울이고 있었다.

그러던 어느 날, 창 뒤의 작은 마당에 나갔던 아줌마는 뜻밖에도 담장 구석에서 새로운 굴 하나를 발견했다. 그래서 그전 굴을 살피니, 입구에 희미한 발톱 자국이 보였다.

그 발톱 자국은 어미 토끼의 것이라고 하기에는 너무 커서, 그녀는 다시 늘 담 위에 있던 흑고양이를 의심하게 되었다. 그녀는 마침내 굴을 파 보기로 결심했다.

그녀는 괭이를 가져와서 굴을 파내려갔다. 미심쩍기는 했으나, 그러면서도 하얀 새끼 토끼를 찾았으면 했다.

그런데 굴 밑바닥까지 파내려갔지만, 셋째 아줌마는 풀더미에 토끼털이 섞여 있는 것을 발견했을 뿐이었다. 아마도 새끼를 낳을 때 깔았던 것이리라. 하얀 새끼 토끼는 물론, 단 한 번 말쑥하게 생긴 머리를 내밀었을 뿐 굴 밖으로 나와 보지도 못했던 동생 토끼의 흔적도 찾을 수가 없었다.

분노와 실망, 슬픔에 잠긴 셋째 아줌마는 다시 담장 구석의 새로운 굴을 파지 않을 수 없었다. 굴을 파기 시작하자, 두 마리의 어미 토끼가 먼저 굴 밖으로 뛰어나왔다. 그녀는 '토끼들이 집을 옮겼구나' 하고 생각하자 매우 기뻤다.

굴을 계속 파서 바닥을 들여다보니 거기에도 풀잎과 토끼털이 깔려 있고, 그 위에는 일곱 마리의 아주 작은 토끼들이 잠을 자고 있었다. 온몸이 연분홍 빛깔이었는데, 자세히 보니 아직 눈도 뜨지 못했다. 모든 것이 명백해졌다. 셋째 아줌마가 처음 예상했던 것이 들어맞은 것이다.

그녀는 위험을 피하기 위해 일곱 마리의 새끼 토끼를 전부 상자에 넣어 자기 방으로 옮겨다 놓았다. 그리고는 어미 토끼도 상자 안에 붙들어 넣어, 강제로 새끼들에게 젖을 먹이게 했다.

셋째 아줌마는 그 때부터 흑고양이를 미워했을 뿐만 아니라, 어미 토끼에 대해서도 불만을 느꼈다. 처음에 두 마리가 죽기 전에도 이미 죽은 것이 있었을 것이다. 왜냐하면 그들이 한번에 두 마리만 낳았을 리가 없기 때문이다. 그런데 젖을 골고루 먹이지 않아 젖을 뺏어먹지 못한 놈은 먼저 죽었을 것이라는 것이다.

아마도 이 생각이 맞을 것 같다. 지금 남은 일곱 마리 중에도 두 마리는 무척 말랐다. 그래서 셋째 아줌마는 틈만 나면 어미 토끼를 붙잡아 가지고 새끼 토끼를 한 놈 한 놈 차례로 배 위에 얹어 놓고 젖을 먹게 했다. 많이 먹고 적게 먹는 놈이 없도록 한 것이다.

어머니는 나에게 말씀하셨다.

"저렇게 골치 아프게 토끼를 기르다니, 그런 것은 여지껏 들어 보지 못했다. 아마 무쌍보(청나라 김고량이 지은 명인 화상집)에 실어도 좋을 거야!"

흰 토끼 가족은 갈수록 번성했고, 사람들 역시 모두 기뻐했다.

그러나 그 후부터 나는 왠지 처절한 기분을 느꼈다.

깊은 밤, 나는 등불 앞에 앉아서 생각했다. 그 두 개의 작은 생명은 아무도 모르는 사이, 어느 때인지도 모르게 사라져 버렸다. 생물사에 조그만 흔적도 남기지 못했고, S조차 한 번 짖지도 않았다.

이런 생각을 하다 보니 지난 일이 떠올랐다. 전에 내가 화관에 살던 무렵, 아침 일찍 일어나 보니 커다란 느티나무 아래 집비둘기 털이 어지러이 흩어져 있었다. 그 비둘기는 분명히 매의 밥이 된 것이다. 그러나 아침 나절에 소사가 와서 청소를 해 버리자, 여기서 하나의 생명이 없어졌다는 것은 아무도 모르게 되어 버렸다.

나는 또 전에 북경의 서사패루라는 거리를 가다 강아지 한 마리가 마차에 치여 죽게 된 것을 보았다. 그러나 돌아올 때에는 누가 치워 버렸는지 아무것도 보이지 않았다. 아무것도 모르고 제 갈 길을 오가는 사람들, 과연 누가 바로 여기에서 하나의 생명이 사라져 갔다는 것을 알겠는가!

여름날 밤이면 늘 창 밖으로 파리가 왱왱대는 소리를 듣게 되는데, 이는 반드시 거미줄에 걸린 것이다. 그러나 나는 지금까지 그런 것에 마음을 써본 일이 없었고, 더구나 다른 사람들이 어쨌다는 소리도 듣지 못했다. 가령 조물주를 원망할 수 있다면, 나는 이렇게 생각할 것이다. 그가 정말이지 생명을 너무 남조(함부로 만듦)하고 함부로 파괴해 버린다고.

'야옹' 하는 소리가 들리더니 또 두 마리의 고양이가 창 밖에서 싸우기 시작했다.

"신아! 너 또 거기서 고양이를 때렸구나?"

"아니에요, 자기들끼리 물어뜯는 거예요. 저것들이 어디 저한테 맞을 놈들이에요?"

우리 어머니는 평소부터 내가 고양이를 학대한다고 매우 언짢게 여기셨다. 지금도 내가 새끼 토끼 때문에 불평을 품고 무슨 해코지를 한 것으로 여긴 것이다. 집안 사람들은 모두 나를 고양이의 적으로 간주했다. 전에 내가 고양이를 죽인 일이 있고, 평소에도 늘 고양이를 때렸으니까.

특히나 그것들이 교미할 때에는 더 그랬다. 그러나 내가 놈들을 때린 까닭은 결코 그들이 교미를 했기 때문은 아니었다. 다만 그들이 너무 시끄럽게 굴어서 잠을 잘 수가 없었기 때문이다. 교미할 때 그렇게 유난스레 떠들어야 하나 하고 나는 생각했다.

하물며 흑고양이가 새끼 토끼를 죽였으니, 나의 행동은 더욱더 명분이 서는 셈이었다. 어머니는 아무래도 살생에 대해 지나치게 신경을 쓰시는 것 같았다. 그래서 어쩔 수 없이 나는 어물쩍하고 불만스럽게 대답을 했다.

조물주는 너무나 엉터리이다. 나는 그에게 반항하지 않을 수 없다. 그러는 것이 도리어 조물주를 돕는 결과가 될지도 모르지만……

저놈의 흑고양이는 언제까지나 오만한 눈으로 담 위를 활보하지는 못할 것이다. 이렇게 결심을 하자, 나도 모르게 책 궤 속에 감춰 둔 청산가리 병 쪽으로 흘끗 눈길을 돌렸다.

(1922년 10월)

집오리의 희극

　러시아의 장님 시인인 에로센코가 아끼는 기타를 들고 북경으로 온
지 얼마 안 되어 내게 이런 고충을 털어놓은 적이 있다.
　"쓸쓸합니다, 쓸쓸해요. 마치 사막에 있는 것처럼 쓸쓸해요."
　그것은 사실이었으리라. 하지만 나는 한 번도 그런 느낌을 가진 적이
없다. 북경에 오래 살아서 그런지 '지란의 방에 들어가서 오래 있으면
그 향기를 맡지 못한다'는 말처럼 내게는 오히려 시끄럽게만 느껴졌었
다. 하긴 내가 말하는 '시끄럽다'는 표현이 그가 말하는 쓸쓸함과 같은
것일지도 모른다.
　그러나 나는 북경에는 마치 봄과 가을이 없는 것 같은 느낌을 갖고
있다. 북경에 옛날부터 살았던 토박이들은, '땅기운이 북쪽으로 옮아 왔
다. 옛날에는 이렇게 따뜻하지 않았다.'고 말했다. 그런데도 오직 나만
이 늘 봄과 가을이 없는 것 같은 기분이 들었던 것이다. 겨울이 끝나면
이내 초여름이 꼬리를 잇기 시작했고, 여름이 끝나면 이내 겨울이 시작
되었다.
　겨울이 끝나고 초여름이 시작될 어느 날 밤이었다. 밤에 어쩌다가 한
가한 틈이 생긴 나는 에로센코 군을 찾아 보았다. 그는 줄곧 중밀의 집
에 머물고 있었다. 내가 갔을 때에는 집안 사람들이 모두 잠들어 있어
서 온 집 안이 고요했다. 그는 자기 침대에 기대어 앉아 높이 돋은 눈썹

을 황금빛 머리털 사이로 약간 찌푸리고 있었다. 옛날에 그가 살았던 고장 미얀마의 여름밤을 생각하고 있는 중이었다.

"이런 날 밤에는요."

하고 그가 말했다.

"미얀마에서는 가는 곳마다 음악이 있어요. 집 안이나, 풀숲에서나, 나무 위에서나 할 것 없이 온갖 벌레들이 어우러져 합주를 하지요. 각양각색의 소리들이 함께 어울려 연주하는 모양은 아주 신기롭습니다. 가끔 '쉬이, 쉬이' 하는 뱀의 소리도 끼어들지요. 하지만 그것도 벌레 우는 소리와 조화를 이뤄서……."

그는 조용히 생각에 잠겼다. 마치 그때의 정경을 회상해 내기라도 하는 것처럼. 나는 아무 말도 할 수가 없었다. 북경에서는 그렇게 기묘한 음악을 확실히 들어 본 일이 없었다. 설사 내가 나라를 아무리 사랑

한다 해도 변호할 도리가 없었다. 더욱이 그는 장님이라 보이지는 않지만 귀가 먹지는 않았으니까.

"북경에는 개구리의 울음소리조차 없군요."

그는 또 탄식하며 말했다.

"개구리야 울지!"

나는 용기를 내어 그의 탄식에 대해 항의하듯 말했다.

"여름이 되어 큰 비가 내린 다음에 많은 개구리들이 시끄럽게 우는 소리를 들을 수 있네. 개구리는 도랑 속에서 살고 있어. 하기야 북경에는 도처에 도랑이 있으니까 말이야."

"허어……."

2, 3일이 지나자 과연 내 말대로 되었다. 왜냐하면 에로센코가 여남은 마리의 올챙이를 사 왔기 때문이다.

그는 그것을 즉시 창 밖 뜰 한가운데에 있는 작은 연못에 넣어 주었다. 그 연못은 길이가 석 자, 폭이 두 자쯤 되었다. 중밀이 판 연못으로 연꽃을 키우는 연지였다. 비록 이 연못에서 연꽃이 피는 것을 한 번도 본 일이 없었으나, 개구리를 기르기에는 적당한 장소였다.

올챙이들은 열을 지어 물 속을 헤엄쳤고, 에로센코 군도 노상 찾아왔었다. 아이들이 '에로센코 선생님, 올챙에게 발이 생겼어요.' 하고 일러 주자, 그는 유쾌한 듯이 미소를 지으며 외쳤다.

"그래!"

그러나 연못에다 음악가를 키운다는 일은 에로센코에게는 아주 예사로운 일이었다. 그는 오래 전부터 스스로 일해서 먹어야 한다고 늘 주장해 왔다. '여자는 가축을 기르고, 남자는 마땅히 농사를 지어야 한다'고 그는 말했던 것이다.

그래서 친한 친구들을 만나면 그들에게 배추를 심으라고 권했다. 중밀의 아내에게도 여러 차례 양봉이나 양계, 양돈을 권하고, 소나 낙타를 키우라고 했다. 뒤에 중밀의 집에서는 과연 병아리가 뜰 안을 돌아다녔다. 병아리가 채송화의 싹을 모조리 쪼아먹게 된 것도 아마 그의 이러한 권고 때문이었으리라.

그 뒤로는 병아리를 파는 시골 사람들이 자주 찾아왔고, 그들이 오면 으레 병아리를 몇 마리씩 샀다. 왜냐하면 병아리는 걸핏하면 뒤가 막혀 설사가 난다거나 해서 꽤나 기르기 힘들었기 때문이다. 그런 대로 한 마리는 에로센코 군이 북경에서 쓴 단 하나의 소설 《병아리의 비극》의 주인공이 되기도 했다.

어느 날 오후, 그 시골 사람이 뜻밖에도 집오리 새끼를 가지고 왔다. 집오리 새끼는 '삑삑' 울고 있었다. 중밀의 아내가 오리는 필요없다고 말했다.

바로 그 때 에로센코 군이 달려나왔다. 그들이 새끼 한 마리를 에로센코 군에게 주자, 오리 새끼는 그의 손 위에서 삑삑 울었다. 에로센코 군은 그것을 몹시 귀여워하며 한 마리에 8푼씩 주고 네 마리를 샀다.

오리 새끼는 참으로 귀여웠다. 온몸이 노리끼리한 달걀빛이었고, 땅 위에 놓아 두면 비틀비틀 걸었다. 언제나 서로 짝을 찾아 불러서는 한데 모이려 했다. 사람들은 의논한 끝에, 내일은 미꾸라지를 사다가 오리에게 먹이자고 했다. 에로센코 군이 말했다.

"미꾸라지 값은 내가 내지요."

그는 그 길로 강의를 하러 갔고, 사람들은 모두 헤어졌다.

얼마 후, 중밀의 아내가 오리 새끼에게 남은 밥을 주려고 나가 보니, 저 멀리서 물을 휘젓는 소리가 들려왔다. 부리나케 달려가 보니, 네 마리의 오리 새끼들이 연못 안에서 목욕을 하고 있었다.

그러다가 곤두박질을 치며 뭔가를 먹고 있었다.

얼른 오리 새끼들을 건져서 올려 놓았으나, 연못은 온통 흐려져 있었다. 반나절이 지나 물은 다시 맑게 가라앉았다. 그러나 가느다란 연뿌리만이 두세 개 진흙 밖으로 나와 있을 뿐, 벌써 발이 돋아났던 올챙이는 한 마리도 보이지 않았다.

"에로센코 선생님, 개구리 새끼가 없어졌어요."

저녁 무렵이 되어 그가 돌아왔을 때, 마중 나온 아이들 중 가장 어린 놈이 재빨리 일렀다.

"뭐, 개구리가?"

중밀의 아내도 나와서 에로센코 군의 오리 새끼가 올챙이를 잡아먹은 사실을 알렸다.

"호오……."

하고 그는 웅얼거렸다.

오리 새끼가 노란 배냇털을 갈 무렵, 에로센코 군은 갑자기 '나의 어머니 러시아'가 그리워져서 부랴부랴 기타를 가지고 길을 떠났다.

주위에서 온통 개구리가 울어 댈 무렵에는, 오리 새끼들도 이미 훌륭하게 자라 있었다. 두 놈은 희고, 두 놈은 얼룩이었다. 이제는 삑삑 하고 울지 않고, 꿱꿱 하고 울었다.

연못도 이제는 그들이 휘적거리기에는 너무나 좁았다. 다행히도 중밀 군의 집은 지대가 낮았기 때문에, 여름에 비만 오면 뜰 안이 온통 물바다가 되었다. 그러면 오리들은 신이 나서 헤엄을 치며, 물 속으로 자맥질도 하고 날갯짓도 하며 또 꿱꿱 울어 댔다.

이제 여름이 끝나고 겨울이 닥치려 하고 있다. 에로센코 군에게서는 아직 아무런 소식이 없다. 다만 네 마리의 오리만이 아직도 연못 가운데서 꿱꿱 울고 있을 뿐이다.

(1922년 10월)

작품 알아보기
（단편문학）

루쉰의 대표작 〈아Q정전〉은 1921년 12월부터 다음 해 2월에 걸쳐서 주간 《신보부간》에 발표된 작품으로, 날품팔이로 살아가는 별 볼일 없는 아Q라는 인물을 통해, 봉건적 예속에 허덕이는 그 당시 민중들의 모습을 포착하고 있다.

혁명당원을 자처했으나, 도둑으로 몰려서 어이없게 총살당하고 마는 아Q의 운명을 통해 중국 구사회의 모순과 신해혁명의 좌절을 다룬 작품이다.

〈광인일기〉는 1918년 5월 《신청년(新青年)》에 발표된 루쉰의 처녀작으로, 주위 사람들이 모두 자기를 잡아먹으려고 한다는 강박증을 가진 인물을 주인공으로 하여, 봉건적 가족제도와 유교적 위선을 고발하고 있다.

〈광인일기〉에 이어 발표된 일련의 작품들은 새로운 구어체 문장을 창출한 점에서나, 과거에 대한 비판을 다루고 있다는 점 등에서 문학혁명(1910년대 후반부터 1920년대 초에 걸쳐 중국에서 전개된 문학·사상의 개혁운동)의 정신을 구현한 작품들이다.

〈고향〉에서는 어린 시절의 친구인 윤토와의 재회를 통해 피폐한 당시 중국 농촌의 현실을 관찰하고, 박해 받는 농민들의 생

작품 알아보기
(단편문학)

활상을 폭로한다.

하인의 아들인 윤토는 어린 시절의 총명함과 다정함 대신, 몸에 배어 버린 계급의식으로 '나' 에게 굽실거린다.

〈공을기〉는 봉건제도 아래서의 하층 지식인들의 위선과 현학적인 모습을 풍자하고 있으며, **〈약〉**은 한 혁명가가 처형당한 장소로 인혈 만두를 사러 가는 음식점 주인을 통해, 혁명가의 피를 먹을 수밖에 없는 미신에 사로잡힌 민중의 모습을 폭로하고 있다.

논술 길잡이
(단편문학)

❶ 아래 그림은 〈아Q정전〉의 한 장면이다. 아Q의 성격과 됨됨이를 분석해 보고, 그것을 바탕으로 하여 아Q의 일대기를 써 보자.

....

....

....

....

....

....

논술 길잡이
(단편문학)

❷ 다음은 〈아Q정전〉의 마지막 장면이다. 이 장면을 통해 작가가 전달하려고 하는 주제에 대해 논술하라.

> 　그런데 일반적인 여론에 의하면, 미장에서는 별다른 이의도 없었고, 모두들 아Q가 나쁘다고 말했다.
>
> 　"총살당한 것은 그가 나빴다는 증거야! 나쁘지 않았다면 무엇 때문에 총살을 당한단 말인가?"
>
> 　그러나 성안의 여론은 별로 좋지 않았다. 그들의 대부분은 불만을 품고 있었다.
>
> 　"총살은 목을 자르는 것만큼 볼만한 것은 못 되더군. 더구나 그렇게 변변찮은 사형수가 세상에 어디 있겠는가! 그렇게 오래도록 거리를 끌려 다니면서도 끝내 노래 한 곡조 안 부르다니, 구경꾼들만 헛걸음 했지 뭐야!"

....

....

....

논술 길잡이
(단편문학)

❸ 〈광인 일기〉에서 주인공인 '나'는 늘 주변 사람들과 갈등을 일으킨다. '나'와 '주변 사람들'은 서로를 어떻게 생각하고 있는지 쓰라.

나→주변 사람들:

....

....

....

....

....

주변 사람들→나:

....

....

....

....

논술 길잡이
(단편문학)

❹ 〈고향〉을 읽고, 윤토와 나의 관계가 어떻게 변해 왔는지, 과거와 현재로 나누어 비교·논술해 보자.

과 거	현 재

논·술·세·계·대·표·문·학 〈전60권〉

펴 낸 이   정재상
펴 낸 곳   훈민출판사
주   소   경기도 고양시 덕양구 원당동 416번지
대 표 전 화   (031)962-3888
팩   스   (031)962-9998
출 판 등 록   제395-2003-000042호

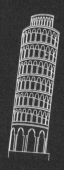